CW00384329

Einaudi. Stile Libero Big

Dello stesso autore nel catalogo Einaudi

Cocaina (con M. Carlotto e G. De Cataldo)
Una mutevole verità
La regola dell'equilibrio
Passeggeri notturni
L'estate fredda
Le tre del mattino
La versione di Fenoglio
La misura del tempo
Non esiste saggezza

Gianrico Carofiglio

Rancore

Einaudi

www.einaudi.it

ISBN 978-88-06-25241-0

Rancore

1.

Veniva ai giardini sempre di sabato o di domenica. Arrivava nella zona in cui di solito mi alleno, si sedeva su una panchina, non troppo vicina e non troppo lontana dagli attrezzi, tirava fuori un libro e un taccuino dallo zainetto, si metteva a leggere e di tanto in tanto prendeva appunti. Anche se faceva freddo. Qualche volta alzava la testa e si guardava attorno, con un'espressione incuriosita, come si fosse reso conto solo in quel momento di dove si trovava.

Un giorno ci eravamo incrociati e si era fermato ad accarezzare Olivia. Olivia è un bull terrier; non è aggressiva – se non fai una mossa sbagliata con lei o con la sua amica Penelope – però neanche socievole, con gli estranei. Puoi accarezzarla, ti lascia fare, ma ostenta una totale indifferenza. Lo so che sovrappongo a un animale categorie interpretative che vanno bene per le persone (e nemmeno per tutte), eppure mi piace pensare che Olivia, come me, detesti gli atteggiamenti paternalistici e condiscendenti e cerchi di non familiarizzare con chi li adotta.

In ogni caso, il tizio disse buongiorno e si abbassò per accarezzarla, senza chiedere se fosse pericoloso. Le mise una mano sul collo e le sfiorò, con pollice e medio, gli angoli della bocca. Olivia parve deliziata, offrí la gola con voluttà, scodinzolò con forza, lei stessa stupita – suppongo – di ciò che stava accadendo.

– Come si chiama?

Fui sul punto di rispondere: Penelope. Ovviamente lui intendeva il cane.

– Olivia.

– Bel nome. Bellissima lei. Buon allenamento, – disse andandosene.

Da allora ci salutavamo, quasi sempre solo un cenno a distanza.

Anche quella mattina, di domenica: lui sulla panchina con il suo libro, io che mi allenavo con la solita, nevrotica determinazione.

Erano trascorsi forse dieci minuti quando sentii alle mie spalle uno scoppio di grida disperate, ringhi rabbiosi, guaiti. Mi voltai e vidi un groviglio di cani, uno nero sopra, uno bianco sotto; vicino, una donna che urlava e chiedeva aiuto.

Tutto si svolse rapidamente, molto piú rapidamente di quanto ci vuole per descriverlo. Lasciai le parallele su cui mi stavo esercitando, dissi a Olivia, che era legata a un albero, di aspettarmi lí, e mi diressi verso la zuffa, non sapendo bene cosa avrei potuto fare. Camminando cercavo con gli occhi un bastone o un qualsiasi altro oggetto che potesse essermi utile. Poi vidi l'uomo della panchina che mi superava di corsa, afferrava il cane nero per le zampe posteriori, lo sollevava e lo lanciava a un paio di metri di distanza. Il bestione – pareva un corso – ruzzolò in maniera rovinosa e quando si rialzò era come spaesato. L'uomo gli andò vicino, troppo vicino, e cominciò a parlargli sottovoce mentre il cane bianco – in realtà era un dalmata – scappava via inseguito dalla sua padrona in preda a una crisi isterica. Un attimo dopo entrò nel mio campo visivo un signore sulla sessantina che si affrettava verso di noi zoppicando un poco, con un guinzaglio in mano. Il molosso era fermo, sembrava ipnotizzato. Quando infine il suo padrone arrivò – scusandosi con tutti e con nessuno in particolare – si lasciò mettere il guinzaglio e portare via senza opporre resistenza. Nessuno avrebbe creduto fosse lo stesso animale che qualche istante prima stava quasi sbranando il dalmata. Appena i due cani con i rispettivi padroni furono andati via, l'atmosfera, in modo quasi irreale, tornò come prima.

– Mai vista una cosa del genere, – dissi.

– Per separare due cani che si azzuffano, – replicò lui, – ci sono solo due metodi efficaci e relativamente poco rischiosi. Una secchiata d'acqua o quello che ho fatto io.

– E secondo lei è poco rischioso? Non c'è pericolo di essere morsi?

– Se si sa come fare e si agisce senza esitazione è difficile che succeda. Il cane non può morderti, se viene sollevato dalle zampe posteriori, e di regola, dopo, non ha nessuna voglia di ricominciare. Non subito, almeno. La questione cambia se si tratta di un cane addestrato a combattere.

– Per fortuna quel bestione non apparteneva alla categoria.

– Per fortuna, sí.

– Mi è sembrato che lei gli sussurrasse qualcosa.

– Serve a tranquillizzarlo, e a dare il tempo all'altro cane e alla padrona di andarsene. Non importa cosa si dice, ma il tono.

Non aveva proprio l'aria dell'energumeno. Occhiali, statura media, corporatura normale, anzi un po' magro. Piú il fisico del fondista che quello del lanciatore di peso.

– Ci sa fare con i cani –. Che frase idiota, pensai un attimo dopo. – E comunque ci tengo a precisare che mi capita anche di dire cose piú intelligenti.

– Mi piacciono i cani. Anni fa mi divertivo a addestrarli, adesso ho meno tempo. Il mio è morto da qualche mese.

– Mi spiace.

– Ho sempre consigliato di prendere subito un cucciolo, quando muore un cane molto amato. È la cosa piú giusta da fare: mantiene in equilibrio ed evita di trasformare gli animali in umani, nella nostra testa. Essendo la cosa piú giusta da fare, non l'ho fatta. Ho ragionato, per cosí dire, proprio nel modo che consideravo piú sbagliato negli altri: prendere un cucciolo sarebbe stato un tradimento verso Buck. Piuttosto stupido, eh?

– Buck come il cane de *Il richiamo della foresta*?

– Sí, esatto. Complimenti, ormai non se lo ricorda piú nessuno.

– Che cane era?

– Un incrocio fra un bovaro del bernese – cioè la razza di Buck nel romanzo – e un pastore belga. A vederlo faceva un po' paura, invece era buonissimo.

Rimanemmo cosí per qualche secondo. Stavo per chiedergli cosa stesse leggendo, ma temetti che con quella domanda mi sarei mostrata insensibile verso il suo lutto canino.

A quel punto Olivia, che aveva atteso con pazienza, lanciò un singolo, legittimo latrato di frustrazione e protesta. È una ragazza poco loquace: se parla, di solito c'è un buon motivo.

– La chiama, ha ragione. Allora ci vediamo qui uno di questi giorni, – disse lui.

– Ci vediamo, – risposi io.

2.

Quando ricevo i miei clienti (fatico sempre a chiamarli cosí) nel bar di Diego, arrivo in anticipo e faccio due chiacchiere con lui, se non è troppo occupato. Mi ricorda il tempo in cui avevo un lavoro vero. Mi presentavo in procura una mezz'ora prima di ogni impegno – udienza, attività istruttoria, incontri con avvocati – e parlavo un po' con i miei collaboratori. Era bello. È una delle cose di cui ho nostalgia.

– Ciao Diego.

– Ciao Penny, un po' che non ti vedo. Tutto bene?

– Tutto bene mi sembra eccessivo. Tu?

Fece un'espressione che non gli era consueta e che non riuscii a decifrare. Mi guardò come se volesse rispondere ma non trovasse le parole. Poi chiese: – Ti serve l'ufficio?

Annuii.

– Qualcosa che non va?

Al bancone c'erano solo due avventori. Diego disse a Maria, la ragazza colombiana che lavorava con lui, che usciva a fumare una sigaretta.

– Che succede? – domandai quando fummo fuori, entrambi con la sigaretta accesa. Faceva freddo, il cielo era grigio e compatto, presto avrebbe cominciato a piovere.

– Ieri siamo stati dal giudice per la separazione.

– Ah, ecco. È arrivato il momento.

Tirò su col naso. Mi guardò con un'espressione avvilita, affranta. Aveva gli occhi lucidi. La gente che piange o che sta per piangere mi mette in imbarazzo. Anche se non c'entro niente, mi sento responsabile, e a me non piace sentirmi responsabile. Gli diedi una goffa pacca sulla spalla.

– Dài, in fondo lo avevate deciso insieme.

– Non ti ho mai raccontato il motivo.

– In effetti, no.

– Sono gay.

Rimasi in silenzio. Fumai.

– Non dire che lo sapevi.

– Va bene, non lo dico.

– Come hai fatto a capirlo? Quando? – mi chiese con un tono in bilico fra lo stupore e il sollievo.

Stavo per rispondere: perché non ci hai mai provato. Ma sarebbe stato fuori luogo, per varie ragioni.

– Non è che ci ho riflettuto in modo particolare. Ho solo immaginato che *potevi* essere gay. Forse il tipo di attenzioni che hai per me, la tua gentilezza, la capacità di notare certi dettagli. Una cosa infrequente nei maschi eterosessuali. Lo so che è un cliché, però non riesco a essere piú precisa. E non ricordo quando l'ho pensato per la prima volta, ma insomma, ora che me lo dici non mi sorprendo.

– Ti fa effetto?

– Il fatto che tu sia omosessuale o il fatto che ti sei separato da tua moglie?

– Tutte e due le cose.

– Che tu sia omosessuale non mi fa nessun effetto. Che ti sia separato, sí. Mi rendo conto che suona un po' contraddittorio.

Schiacciò la sigaretta nel posacenere davanti all'ingresso del bar.

– Sei la prima persona cui lo dico. Grazie.

– Grazie perché?

– Non lo so. Mi viene da dire grazie. Di esserci, forse. Di averlo capito, di essere qui a parlare con me.

– Tu quando te ne sei accorto? Di essere omosessuale, intendo.

– Non so bene. Di sicuro un po' in ritardo. Ho anche fatto un bambino. Adesso, se guardo indietro, mi sembra che fosse chiaro da sempre. Probabilmente rifiutavo, non avevo il coraggio di accettarlo.

– Capita spesso. Ci diciamo le bugie perché quello che implicherebbe riconoscere la realtà ci appare insopportabile. Poi non lo è quasi mai.

– Cosa?

– Insopportabile. Come è successo che avete deciso di separarvi? È accaduto qualcosa o hai preso tu l'iniziativa per fare chiarezza?

Sul viso di Diego comparve un sorriso tristissimo.

– Non sarei mai stato capace di prendere l'iniziativa. Semplicemente, Loredana ha capito che avevo una relazione. Poco dopo ha scoperto che questa relazione era con un uomo. E subito dopo mi ha chiesto di andarmene di casa.

– È molto arrabbiata, immagino.

– Impazzita, furiosa. Chissà se si sarebbe arrabbiata alla stessa maniera, se l'avessi tradita con una donna.

– Si sarebbe arrabbiata, ma una situazione come questa è piú difficile da accettare. Mette in discussione la femminilità di una donna, la sua percezione di sé. Non deve essere facile, ha tutto il diritto di essere arrabbiata.

– Mi dispiace tantissimo di averla ferita cosí. Io le voglio bene come prima, anche di piú. Lei invece mi odia, e credo che mi odierà per sempre.

Tirò su col naso prima di riprendere.

– Dice che mi farà causa alla Sacra Rota. Non capisco poi che differenza c'è con un divorzio normale...

– Sottigliezze giuridiche. Con la decisione della Sacra Rota il matrimonio viene proprio annullato. *Puff*, come se non fosse mai esistito. Vorrà sostenere che sin dall'inizio avevi la riserva mentale, non intendevi davvero prendere l'impegno coniugale.

– Sí, è quello che ha detto. Sai, Penny, ho paura che usi nostro figlio per farmela pagare.

– Capita. In che rapporti sono i vostri avvocati?

– Buoni, mi sembra. Sono persone tranquille.

– Allora di' al tuo avvocato che proponga al suo collega degli incontri congiunti con uno psicologo, nell'interesse del bambino. Se i due avvocati sono davvero persone per bene, può darsi che si accordino. E può darsi che questo aiuti lei almeno a moderare la rabbia.

– Lo farò –. Guardò per qualche istante un punto imprecisato della strada, poi sospirò. – Sai cosa mi spaventa piú di tutto?

– Pensare a quando dovrai dirlo a tuo figlio?

– Già.

– Troverai il modo. A volte queste cose sono molto piú complicate a immaginarle che a farle.

Non ero – non sono – del tutto convinta di questa affermazione. Spesso alcune cose sono almeno altrettanto complicate da fare. Ma non mi parve indispensabile essere cosí sincera; non in quel momento.

– Meno male che sei passata. Erano giorni che volevo parlarti.

– Quando c'è bisogno di me non ci sono mai. Me lo hanno già detto un discreto numero di volte. E comunque: perché non mi hai chiamata?

– Ci ho pensato e ripensato, ma non sapevo che dire, come cominciare.

– Quello con cui avevi la storia che lei ha scoperto... ci stai ancora insieme?

– No. Quando è scoppiato il casino si è dileguato.

– Va bene. La prossima volta che hai voglia di parlare, chiama. Anche la sera tardi. Evita solo le prime ore del mattino, se non vuoi guastare una bella amicizia. Adesso entro, fra poco arriva una tizia per me.

La saletta posteriore del bar di Diego è, in pratica, il mio ufficio. Non ci entra quasi mai nessuno; pochi, anche fra i clienti abituali, sanno che esiste. E in ogni caso, quando ci sono io, Diego chiude la porta; se voglio, apro la finestra che dà sul cortile e posso anche fumare.

La donna arrivò con due o tre minuti di ritardo. Ci eravamo accordate per vederci alle quattro. L'ora piú tranquilla nei bar di Milano, nei bar in generale. Se hai voglia di bere da sola, senza che nessuno si avvicini o ti guardi con disapprovazione, la fascia oraria che va dalle quattro alle cinque del pomeriggio è la migliore.

Ho le mie teorie sulla puntualità. Essere sempre perfettamente in orario è un po' ossessivo; sempre in anticipo, sintomo di ansia; sempre in ritardo, egoriferimento e tentativo di esercitare potere sugli altri. Arrivare con un paio di minuti di ritardo non significa nulla. O suggerisce che la persona è, almeno all'apparenza, in equilibrio. Insomma, con due minuti di ritardo sei puntuale ma non ossessivo. Mentre di sicuro appartieni alla categoria degli ossessivi se ti perdi in questi ragionamenti, mentalmente, a voce o per iscritto.

Bussò, si affacciò e io la invitai a entrare. Aveva un aspetto anonimo. Qualcuno, ne sono certa, l'avrebbe definita carina, ma nel suo sguardo c'era un'ombra di tedio che, fossi stata un uomo, o una donna cui piacciono le donne, non me l'avrebbe fatta trovare attraente. In realtà cosa ne so di chi mi piacerebbe, se fossi una donna cui piacciono le donne? O addirittura un uomo? È tutta la vita che traggo conclusioni ipotetiche su premesse traballanti. E non solo su argomenti cosí frivoli.

Indossava un piumino costoso, un paio di jeans, un maglione a collo alto. L'unico tocco eccentrico era un ciuffo di capelli colorato di azzurro. La stretta di mano era ferma e priva di cordialità.

– Sono Marina Leonardi.

– Chi le ha consigliato di venire da me?

– Il mio avvocato, anche se non la conosce di persona. Un suo collega penalista, uno di cui si fida, gli ha suggerito il suo nome. Gli ha detto che per una questione davvero delicata si sarebbe rivolto a lei, che ha risolto una brutta faccenda di una ragazzina coinvolta in un giro di pedopornografia. E che se azzanna, poi non molla piú.

Feci un gesto di fastidio con la mano. Non le domandai chi fosse l'avvocato penalista. Non ero sicura di volerlo sapere e comunque, a quel punto, era solo la vanità a rendermi curiosa. Preferivo non compiacermi dell'ammirazione di uno dei miei vecchi avversari di quando facevo il pubblico ministero. Al compiacimento sarebbe inevitabilmente seguita una fitta di angoscia in ricordo di come avevo buttato via tutto.

– Di che si tratta?

– Mio padre è morto quasi due anni fa. Io ero all'estero; non vivo in Italia da parecchio, ormai.

Alzai leggermente la testa. Stavo per chiederle di cosa fosse morto suo padre, e dove, e per quale motivo lei vivesse all'estero. Mi trattenni, come è buona regola quando qualcuno ti sta raccontando una storia. Una regola tanto ovvia quanto ripetutamente violata anche da investigatori esperti: bisogna lasciar parlare il testimone, senza interromperlo, fino a quando non ha riferito tutto con le sue parole. Alla base c'è una ragione tecnica che molto spesso viene dimenticata: se l'investigatore, quale che sia il tipo di investigazione (privata, giudiziaria, addirittura – o forse soprattutto – psicologica), comincia subito a pretendere chiarimenti, precisazioni, a porre domande che esulano dal contesto dei fatti, quello che si determina è un effetto dannoso anche se poco intuitivo. Il teste, invece di riportare la sua versione genuina di una vicenda, è «addestrato» a rammentare solo ciò che interessa all'investigatore. E cosí vengono disperse, spesso in modo irrimediabile, informazioni importanti. Succede perché, dopo aver raccontato una storia in un modo, poi tendiamo a ripeterla sempre uguale, piú che a recuperare la memoria di ciò che è davvero accaduto. Perciò è molto meglio lasciar parlare l'altro senza interrompere la sua narrazione e la nostra concentrazione. Ci sarà tempo in seguito per chiedere delucidazioni e avanzare congetture. Il problema è che tutti noi troviamo difficile ascoltare in modo attivo, cioè senza intervenire ma lasciando percepire che stiamo ascoltando. Immagino dipenda dall'insicurezza, e dalla prepotenza dell'ego. Ci interessano le risposte alle nostre domande, piú che la versione dell'altro. Ecco perché, come dicevo, perfino gli investigatori esperti non sono immuni da un simile errore. Naturalmente, fra coloro che conoscono questa regola e talvolta la violano ci sono anche io.

D'accordo, ho divagato.

Insomma, mi limitai ad annuire e Marina proseguí.

– Mi accorgo che raccontare i fatti in ordine non è facile. Una mattina la donna di servizio è entrata in casa e ha trovato mio padre morto a letto. Era vestito. Senza scarpe ma per il resto vestito.

– Viveva solo?

– Ecco, questo è uno dei punti della questione. Mio padre, dopo avere divorziato da mia madre, si era risposato con una donna molto piú giovane di lui; piú giovane anche di me, di due anni. Con mia madre era finita, fra l'altro, per via delle sue ripetute infedeltà: era un traditore seriale.

– E quando suo padre è morto dov'era la moglie?

– Fuori Milano.

Lasciò la frase sospesa. C'era qualcosa di strano nel suo modo di parlare, come se tutto fosse in bilico fra una storia preparata a tavolino e un'urgenza, un'emozione che ne scomponevano la trama. Quale fosse questa emozione non era chiaro: di sicuro conteneva una parte di rabbia, una nota di disprezzo, forse addirittura di odio. Restava da capire nei confronti di chi.

– La mattina precedente al ritrovamento del corpo, – riprese, – era partita per un centro benessere in Toscana.

– Attribuisce qualche significato particolare a questo fatto?

– Sí. Adesso le spiego. Devo precisare che da tempo io non ero in buoni rapporti con mio padre, per molte ragioni. La piú grave era appunto il modo in cui era cessato il matrimonio con mia madre e quanto era successo prima. Poi l'aver sposato una donna tanto piú giovane mi pareva… non vorrei pensasse che io stia giudicando, però…

Era proprio quello che pensavo. Scossi appena la testa e mi strinsi nelle spalle. Un gesto che poteva significare qualsiasi cosa.

– Insomma, – continuò, – mi sembrava cosí… cosí visibilmente sbagliato. Mio padre ha sempre avuto successo con le donne, e ne ha sempre approfittato. Sapeva scegliere ogni volta la leva giusta: denaro, potere, charme personale. Se era utile sfruttava anche una condizione di fragilità. È stato molto amato, era un seduttore abile, ma non crede che ci sia qualcosa di fuori luogo nel matrimonio fra due persone con trentatre anni di differenza?

Era il genere di domanda insidiosa che non mi piace sentire. La mia risposta naturale sarebbe: sí, c'è qualcosa di fuori luogo. È ciò che suggerisce il senso comune e spesso il senso comune ha ragione. Però il mio impulso naturale – a volte giusto, spesso sbagliato – è di affermare il contrario. Per principio, perché sono cosí: il mio impulso naturale è dire il contrario. Una caratteristica che da un po' di tempo sto cercando di disciplinare. Con poco successo.

– Ha parlato di potere. Non mi ha detto di cosa si occupava suo padre.

– Era un chirurgo, e un professore universitario. Per una legislatura, anni fa, è stato anche parlamentare. È possibile che ne abbia sentito parlare, era un personaggio piuttosto noto a Milano. E non solo a Milano.

La donna, al momento di presentarsi, aveva detto il suo nome e il suo cognome. Il nome lo avevo registrato, il cognome no, come mi capita abitualmente.

– Mi scusi, mi ripete il suo cognome?

– Leonardi. Mio padre era il professor Vittorio Leonardi.

Quel nome echeggiò nella mia testa come un rintocco di campana. Come un metronomo che segna il tempo e il destino (sono poi cose diverse?). Possibile che non avessi pensato subito a lui, sentendo quel cognome? E poi: la figlia era venuta da me per una coincidenza o dietro il nostro incontro si nascondeva qualche complicato intreccio? Era il caso o il destino (sono poi cose diverse?)?

Cinque anni prima

Era primavera, ma non saprei dire che mese fosse. Forse aprile: i miei ricordi sono chiari su alcune cose, nebulosi su altre.

Arrivai in ufficio verso le nove e come al solito trovai ad aspettarmi il maresciallo Portincasa, addetto alla mia segreteria. Aveva l'abitudine di dare un'occhiata alle nuove assegnazioni, per segnalarmi quelle urgenti o importanti o che per qualsiasi motivo era bene esaminassi subito.

Quella mattina non c'era nulla di particolare, a parte uno strano modello 45. Nel gergo di procura il modello 45 è il registro dove sono annotati gli «atti non costituenti notizia di reato». In teoria sarebbero fascicoli da archiviare direttamente, dopo un esame sommario, senza svolgere indagini. In pratica le cose non stanno cosí. Il modello 45 è un grande calderone in cui si butta di tutto: dagli esposti assurdi del tipo «si sono rubati la Fontana di Trevi» fino a segnalazioni di situazioni serie e sospette da cui, a volte, nascono indagini importanti.

– Guardi questo quando ha un minuto, dottoressa. Se l'autore dell'esposto non è un pazzo mitomane, potrebbe essere interessante, – disse Portincasa.

Firmai qualche atto, andai in udienza preliminare a sostituire un collega che si era assentato per malattia e verso mezzogiorno mi sedetti alla scrivania e cominciai a leggere.

Non sono sicuro che prenderete sul serio quello che c'è scritto in questa denuncia. Ho comunque ritenuto mio dovere scriverla perché fatti molto gravi accadono senza che nessuno se ne occupi. C'è oggi a Milano, con ramificazioni in tutta Italia, un gruppo di potere trasversale ai partiti (o a quello che resta dei partiti). Ricordate il sistema esistito fino al 1992 e che poi Mani Pulite ha spazzato via? Questo è uguale, anzi peggiore. Per farvi un'idea dovete pensare alla fusione fra il sistema pre-92 e una sorta di loggia massonica estremamente evoluta e pericolosa. Preciso che quando parlo di loggia massonica mi riferisco a una cosiddetta «obbedienza spuria». Per capire di cosa si tratta è sufficiente una facile ricerca su Google. In Italia, oltre alle tre obbedienze massoniche ufficiali e abbastanza controllabili, ne esistono almeno duecento spurie del tutto incontrollabili. Come quella di cui vi sto parlando, ovvero un nuovo tipo di predatore generato, per cosí dire, dalla selezione naturale dopo che quelli vecchi sono stati eliminati dall'azione giudiziaria.

Voi magistrati non siete in grado di colpire questo nuovo fenomeno non per mancanza di volontà, ma semplicemente perché non lo vedete. L'evoluzione è piú o meno simile a quella che si è verificata con le mafie. Dopo le stragi degli anni Novanta ci sono stati tanti arresti, tanti processi, tante condanne. Il fenomeno mafioso, almeno nella sua versione militare e assassina, è parso ritirarsi.

In Italia nel 1991 ci sono stati quasi duemila omicidi. In questi ultimi anni poco piú di 300. Una differenza incredibile.

La maggior parte degli omicidi degli anni Novanta erano, appunto, omicidi di mafia. Oggi le mafie non uccidono quasi piú. Significa forse che non esistono piú?

Ovviamente no. Non voglio negare l'importanza della repressione efficace che c'è stata: tanti assassini, interi gruppi di fuoco, sono stati arrestati, processati e condannati. Gli omicidi si sono di certo ridotti anche per questo.

Ma il tema centrale è un altro: la mafia, e in generale i fenomeni criminali, sono come virus, come agenti patogeni. Mutano per adattarsi e sopravvivere. E infatti il virus mafioso nel nostro Paese è mutato. Non uccide (quasi) piú, ma infetta in un altro modo, piú silenzioso e invisibile. Per vederlo serve il microscopio. Perdonerete la mia attitudine a rifugiarmi nelle metafore, ma il senso è che vi occorrono strumenti sofisticati per rilevare la commissione di reati dei quali non avete la piú lontana consapevolezza.

Esattamente lo stesso discorso vale, a maggior ragione, per i criminali con il colletto bianco (che peraltro spesso si intersecano con le mafie). Si sono adattati, sono molto piú abili a penetrare in modo invisibile nel tessuto delle amministrazioni, della politica e in generale dei pubblici poteri, inclusa la magistratura. E forse è proprio in questa capacità di infiltrazione, anche della magistratura, che si annida una parte del problema.

Oggi come allora Milano, sotto l'apparenza scintillante della metropoli europea, cova uno dei focolai di contagio piú pericolosi. A voi pubblici ministeri, oggi piú di allora, tocca andare alla ricerca delle notizie di reato su un sistema cosí condizionato da tali nuove entità criminali. Se non lo farete, vi condannerete – ammesso che non sia già accaduto – alla totale irrilevanza.

Bisogna sapere dove cercare, e (scusate la lunga premessa) proprio in questo io voglio aiutarvi.

Nel condominio in cui abito (un luogo normale e insospettabile, vedrete) si riunisce quasi ogni settimana un gruppo di uomini poco o niente conosciuti, come si addice ai veri potenti. Ci sono politici, imprenditori, uomini della finanza, alti funzionari pubblici, importanti professori universitari e, appunto, magistrati. Si incontrano in un appartamento presso una associazione dall'apparenza innocua, démodé, quasi leziosa: il circolo, rigorosamente maschile, degli amici del sigaro. Oggetto del club è – leggo dallo statuto – la promozione della cultura del fumo lento. Può darsi che vi siano dei membri ignari, che vogliono davvero, ingenuamente, condividere la loro passione, ma i locali del circolo, al terzo piano del palazzo, servono soprattutto a scopi assai meno innocui. Gli incontri «speciali» si svolgono ogni martedí alle diciannove, quando il luogo non è aperto ai soci ordinari.

L'indirizzo, ripeto, è quello della mia abitazione; lo troverete accanto alla mia firma in questo esposto.

Posso dirvi che durante le riunioni si decidono gli esiti di concorsi universitari, nomine di magistrati in importanti uffici direttivi, gare pubbliche, finanziamenti, addirittura il contenuto di leggi regionali e nazionali.

In sostanza, dietro le mentite e innocue spoglie di un club per fumatori si cela una delle logge spurie di cui parlavo all'inizio del mio scritto.

Non vi sarà difficile scoprire chi sono i signori cui mi riferisco. Basterà qualche appostamento nelle vicinanze del portone. Meno facile sarà procedere a eventuali intercettazioni ambientali, se davvero qualcuno avrà voglia di indagare. In realtà questo mio scritto potrebbe essere finito nelle mani di un loro amico, o addirittura di un membro della loggia. Ma se lei che sta leggendo, signor Pubblico Ministero, non fa parte della cricca, sappia che tra i personaggi coinvolti nella vicenda potrebbero esserci persone molto vicine a lei. Magari un suo superiore.

Se al contrario ne fa parte, be'... io sentivo comunque il dovere morale di fare un tentativo.

In ogni caso, come dicevo, procedere a delle intercettazioni ambientali è molto difficile in quel posto. Ogni settimana, poco prima della riunione del martedí, una nota società di cui si serve spesso anche la procura compie un'accurata bonifica.

L'esposto proseguiva ancora per altre pagine, sostanzialmente ripetendo le stesse cose. Era stato inviato per mail; alla fine c'erano un nome, un cognome e un indirizzo. Nemmeno per un attimo pensai che tali generalità corrispondessero al vero autore. Un metodo classico, sebbene in apparenza ingenuo, per far partire un'indagine su un esposto anonimo è quello di metterci una firma che sembri credibile. Il codice prevede che dei documenti anonimi non si possa fare alcun tipo di uso. Non tutti rispettano in maniera rigorosa questa regola, anzi, spesso gli esposti anonimi o sottoscritti solo in apparenza vengono trasmessi alla polizia giudiziaria per avviare quella che si chiama un'indagine conoscitiva. L'espressione non esiste nel codice, eppure è una prassi tollerata.

La Cassazione ha stabilito che in base a una denuncia anonima non è possibile procedere a perquisizioni, sequestri e intercettazioni telefoniche. Però gli elementi contenuti nelle denunce anonime possono stimolare l'attività di iniziativa del pubblico ministero e della polizia giudiziaria al fine di assumere dati conoscitivi diretti a verificare se dall'anonimo possano ricavarsi estremi utili per l'individuazione di una *notitia criminis*.

Formule tortuose per dire: non potresti indagare in base a una denuncia anonima perché è questo che dice la legge, ma te lo permettiamo nel superiore interesse della giustizia.

Mi accesi una sigaretta e feci fare una copia dell'esposto in modo da poterla annotare senza problemi. C'erano delle frasi strane. Il testo non era di immediata decifrazione, nel senso che era difficile immaginare che tipo di persona potesse averlo redatto. C'erano espressioni che potevano far pensare a un funzionario pubblico, addirittura a un magistrato. In diversi passaggi si avvertiva uno spessore di conoscenze, uno stile di scrittura, un'impostazione culturale che non sembrava quella del tipico anonimista.

Nel merito, poteva essere una delle tante farneticazioni in forma di esposto che arrivano ogni giorno negli uffici di procura. Anche se... be', come farneticazione era molto lucida, molto ben concepita, molto convincente.

3.

Dopo la rivelazione rimasi in silenzio per alcuni secondi. Anche se a me parve un tempo molto piú lungo. Marina mi lanciò uno sguardo interrogativo, io scossi la testa, quasi volessi sbarazzarmi del groviglio di pensieri che l'aveva attraversata.

Dovevo chiarire subito che mi ero occupata, per cosí dire, di suo padre quando ero ancora un magistrato? Cosa era piú *corretto*? Dovevo continuare ad ascoltare i motivi per cui era venuta da me e solo dopo darle quell'informazione? Dovevo interromperla e avvertirla, semplicemente, che non potevo (non volevo?) occuparmi di quel caso, qualunque fosse *quel* caso?

Come tante volte in passato, scelsi di non scegliere: l'avrei lasciata parlare e basta. Lí per lí, confusamente, mi persuasi che fosse la cosa migliore: avrei atteso che finisse; poi, con ogni probabilità, avrei trovato un modo per sottrarmi. La scelta piú corretta, mi dissi, ma era una giustificazione a posteriori. Ci capita di agire in un certo modo e di spiegare in seguito il nostro comportamento adducendo ottime ragioni. Il problema è che tali ragioni non sono quelle che hanno determinato l'azione, ma quelle che cercano di legittimarla. Succede anche con le sentenze, prendi una decisione perché a orecchio ti sembra giusta (ma l'orecchio è roba pericolosa quando si tratta di mandare la gente in galera, e anche quando si tratta di assolverla laddove andrebbe condannata) e solo dopo trovi le argomentazioni razionali. Comunque sia, ormai volevo sapere la storia di Marina e capire cosa significasse quel rintocco di campana nella mia testa.

– Conosceva mio padre? – mi chiese.

– Solo di nome –. Il che, tecnicamente, era la verità. Un pezzo della verità.

– Sta di fatto che era un brillante ma maturo signore quando ha incontrato questa ragazza. Una ex miss qualcosa, senza arte né parte. Sei mesi dopo erano sposati. Il matrimonio è stato celebrato praticamente in segreto, con pochissimi invitati in una masseria in Puglia. Lui quasi sessantasei anni, lei trentatre.

– E a suo parere si tratta di una cosa inappropriata, se non disdicevole.

– Guardi, io capisco che la mia possa sembrare una posizione moralista. Probabilmente dall'esterno la giudicherei cosí anch'io, eppure se conoscesse la mia storia personale non lo penserebbe. Proviamo a guardare la cosa dal punto di vista di questa donna, invece che da quello di mio padre. Gli uomini sono creature elementari, non è strano che un signore avviato verso i settanta si invaghisca, o perda addirittura la testa, per una che ha il solo pregio di essere giovane e bella. Un tentativo di fermare il tempo e la decadenza, di allontanare l'idea della fine; fra l'altro immagino che sia un atteggiamento piú frequente fra gli uomini di potere. E comunque è difficile resistere a un bel corpo, alla pelle liscia, agli zigomi al posto giusto... Ma la domanda è: per quale motivo una donna giovane e bella dovrebbe sposare un uomo tanto piú vecchio di lei? Mi sono sempre sentita ripetere che il matrimonio dovrebbe basarsi su un progetto comune, su un'idea di futuro. Quale progetto comune possono avere due persone che si trovano in momenti tanto distanti delle rispettive esistenze?

Il discorso era poco oppugnabile, cosí mi limitai ad annuire.

– Ho vissuto negli Stati Uniti per parecchi anni. Sono stata sposata e ho divorziato. Nell'ultimo periodo abitavo a Miami, lavoravo in una galleria d'arte. Ero lí quando ho saputo della morte di mio padre. Mi sono affrettata a sistemare alcune cose e sono partita, ma il tutto, per varie ragioni, ha richiesto qualche giorno. Sono arrivata a Milano che il funerale c'era già stato: il corpo era stato cremato.

– Chi lo aveva deciso?

– Quella donna. Ha detto che mio padre ripeteva sempre che voleva cosí.

– E non è vero?

– Non lo so. Non ho mai parlato di questo con lui. In realtà non ho mai parlato molto con lui in generale, e negli ultimi anni per nulla. Detto questo, non mi sembra improbabile che abbia chiesto di essere cremato. La questione, per me, è un'altra.

– Cioè?

– La fretta con cui è stato sbrigato tutto.

– Perché fretta? Una volta che c'è stato il funerale, se bisogna procedere alla cremazione si procede, non è che esiste un tempo di attesa, a meno che non ci siano problemi di affollamento al crematorio.

Prima di replicare si schiarí la voce.

– Io sono convinta che mio padre non sia morto di morte naturale. Sono convinta che sia stato ucciso. E sono convinta che, in un modo o nell'altro, c'entri quella donna.

Dalla piega che aveva preso il discorso ormai me l'aspettavo, eppure non potei evitare di irrigidirmi.

– È un sospetto molto grave.

– Lo so. In realtà l'ho avuto da subito, ma mi rendevo conto dell'enormità della cosa e l'ho tenuta per me. Anzi, ho addirittura cercato di scacciare il pensiero. Poi sono successe delle cose che mi hanno indotta a riflettere.

– Tipo?

– Ho messo in fila una serie di fatti. Come si dice nei libri gialli? Due coincidenze fanno un indizio e tre coincidenze una prova?

– A quali coincidenze si riferisce?

– Proprio il giorno prima del ritrovamento del corpo di mio padre quella donna parte, procurandosi cosí un alibi. Quindi si affretta a far cremare il suo corpo, come per evitare qualsiasi rischio di autopsia. E qualche giorno dopo viene pubblicato il testamento con cui mio padre lascia alla giovane moglie la piú gran parte dei suoi averi.

– Ma lei è la figlia, non può essere stata esclusa.

– No, certo. Tutto è stato fatto con cura. Oltre a quella donna, io sono la sola erede legittima. Ho ricevuto due appartamenti, dei titoli e del contante. Ma si tratta di una frazione minima del patrimonio.

Senza particolare originalità pensai che se due appartamenti, titoli e contanti erano una frazione minima del patrimonio, be', doveva trattarsi di un patrimonio ragguardevole.

– Parliamo di una quindicina di immobili di vario genere; azioni, fondi, cassette di sicurezza, quadri d'autore, alcuni molto preziosi. Per darle un'idea sommaria: il valore complessivo stimato si aggira attorno ai trenta milioni di euro.

– Trenta milioni.

– Probabilmente di piú.

– Immagino che lei abbia impugnato il testamento.

– Sí.

– Mi ha detto che il decesso risale a quasi due anni fa e

che la pubblicazione del testamento è stata successiva di qualche giorno. A parte il fatto che le tre coincidenze di cui mi parla, con buona pace di Agatha Christie, non sono la prova di niente, per quale motivo viene da me a distanza di tanto tempo? È stato aperto un procedimento penale sulla morte di suo padre? Se ne sono occupati i carabinieri o la polizia?

– Non c'è stato nessun accertamento.

– Allora, la donna di servizio è arrivata a casa e ha trovato suo padre morto. Cosa ha fatto?

– Non lo so con certezza. Di sicuro ha telefonato al medico di mio padre che poi era anche un suo vecchio amico. Lui è arrivato e ha... come si dice?

– Constatato il decesso?

– Sí, ha constatato il decesso. È stato lui a compilare il certificato.

– E non ha espresso il dubbio che la morte potesse dipendere da cause non naturali?

– Credo di no.

– Lei conosce questo medico?

– Sí, fin da bambina. Come le ho detto era un vecchio amico di mio padre, un suo compagno di scuola.

– Gli ha parlato? Intendo: dopo essere tornata in Italia?

– Sí.

– E gli ha chiesto quale poteva essere la causa del decesso?

– Sí. Secondo lui, quasi certamente, la sera prima ha avuto un infarto. Non si è sentito bene, è andato a stendersi sul letto, e lí è sopravvenuto l'arresto cardiaco.

La guardai in silenzio, ma la mia espressione diceva: e allora?

– Io ho obbiettato che mio padre era un medico, era in grado di riconoscere i sintomi di un infarto. Perché non ha chiamato nessuno?

– E lui?

– Ha risposto che ci sono infarti fulminanti, puoi riconoscere i sintomi quanto vuoi, ma se arriva in quella forma non hai nemmeno il tempo di prendere il telefono...

Sentii un ronzio nella testa, qualcosa che attutiva i rumori e la consapevolezza e scatenava i ricordi e diventava sgomento puro. La voce di lei si fece remota per qualche istante, poi tornò a suonare nitida.

– ... Probabilmente, però, non è stato cosí per mio padre. Lo hanno ritrovato sul letto, dunque ci si era disteso lui, mentre nel caso degli infarti fulminanti la persona viene rinvenuta perlopiú in posizioni scomposte, spesso accasciata a terra. Quello che accade con maggior frequenza di quanto non si creda, ha aggiunto il dottore, è che uno, perfino un professionista, abbia dei sintomi equivoci e tenda a escludere l'ipotesi peggiore. Non è possibile che stia capitando a me, è un disturbo insignificante. Una strategia inconscia per rimuovere la paura della morte. Molte piú persone si salverebbero dall'infarto o dall'ictus se non ci fosse un ritardo nei soccorsi determinato da questo meccanismo di rimozione. Cosí mi ha detto.

– Mi sembra un discorso sensato... Però non capisco su quali basi lei ipotizzi che la morte di suo padre sia dipesa da cause non naturali. Il medico che ha constatato il decesso, addirittura un amico di famiglia, non ha notato nulla di sospetto, nulla che suggerisse di procedere a ulteriori accertamenti. Immagino che nell'appartamento non ci fossero tracce di effrazione, oggetti vistosamente fuori posto e roba simile, perché me lo avrebbe detto.

– Comprendo le sue perplessità, ma mi lasci finire il racconto.

Annuii, cercando di trattenere l'impazienza.

– Qualche giorno dopo il mio arrivo in Italia siamo state convocate dal notaio, la moglie e io, e c'è stata la pubblicazione del testamento.

– Che tipo di testamento era?

– Prego?

– Era un testamento olografo o un testamento fatto davanti a un notaio?

– Il testamento ce l'aveva un notaio, sí.

– D'accordo, ma era stato redatto davanti a lui oppure da suo padre per conto proprio?

– Ah, ho capito. Era stato scritto da mio padre e poi depositato.

– Era sigillato, che le risulti?

– Sí, era in una busta chiusa. Il notaio ha parlato di testamento segreto.

Si definisce segreto un testamento scritto di proprio pugno (o a macchina ma firmando foglio per foglio) dal testatore, sigillato e consegnato a un notaio in presenza di testimoni. Non mi ero mai occupata di diritto successorio. Né mi ero mai occupata di diritto civile da magistrato. Avevo sempre fatto il pubblico ministero, eppure ricordavo quasi tutto quello che avevo studiato all'università e per superare il concorso. In certe situazioni una cosa del genere è una fortuna. Nella mia era una specie di maledizione.

– Insomma, il notaio ha letto il testamento e cosí ho scoperto che la fetta piú grossa del patrimonio sarebbe andata a quella donna.

– E come ha reagito?

– Ho detto che mi sarei rivolta a uno studio legale, ed è quello che ho fatto. Abbiamo impugnato il testamento per violazione della legittima. L'avvocato dice che la causa non è facile, come non sono facili tutte le cause in cui bisogna fare stime. Fra l'altro nel testamento si dichiara espressamente che il valore dei beni a me destinati corrisponderebbe alla quota legittima, e c'è anche un calcolo sommario del valore del tutto. Sbagliato, ma certo non semplifica la situazione. Il motivo per cui i miei sospetti si sono intensificati e ho deciso di venire da lei, però, è un altro. Qualche settimana fa il notaio mi ha chiamato e mi ha chiesto se poteva parlarmi, di persona, di una cosa delicata. Quando sono andata da lui ha cominciato dicendo che era stato a lungo in dubbio se riferirmi o no un episodio; era probabile che si trattasse di una cosa irrilevante, che quasi certamente non avrebbe prodotto alcun effetto a parte suscitare dei sospetti. Insomma, tergiversava e non arrivava al sodo, io mi sono anche spazientita.

– E alla fine?

– Mi ha raccontato che, qualche settimana prima della sua morte, mio padre era passato a trovarlo e gli aveva detto di voler cambiare il testamento. Aveva riflettuto e intendeva distribuire in modo diverso il patrimonio, includere mia madre, anche se erano divorziati, e lasciare una somma in beneficenza o a una fondazione. Erano rimasti d'accordo che sarebbe tornato di lí a poco e insieme avrebbero redatto il nuovo atto.

– Poi invece lui è morto...

– Poi invece lui è morto e non ha potuto fare quello che aveva detto di voler fare.

– La moglie era a conoscenza di questo proposito?

– Sono sicura di sí.

– Perché?

– Non le sembra tutto molto strano? Un uomo decide di cambiare il proprio testamento. Questa decisione gioverà ad alcune persone e costituirà una notevole perdita per un'altra. E guarda caso, poco dopo avere espresso tale intenzione, pur essendo in ottima salute, muore all'improvviso in circostanze non chiare.

Evitai di farle notare che il suo discorso non filava proprio liscio. Poteva desumere un sospetto sulla moglie di suo padre in presenza di un dato certo, cioè che questa fosse a conoscenza della volontà di lui di modificare – in senso peggiorativo per lei – il testamento. In assenza di tale dato certo il ragionamento assumeva un carattere circolare e logicamente inammissibile: mio padre aveva deciso di cambiare testamento; qualche settimana dopo è morto; quindi lei lo sapeva e quindi lo ha ucciso. In pratica il fatto che si doveva provare era usato come prova.

Ogni tanto mi capita ancora di giocare con la logica. Ai tempi della mia prima vita mi riusciva abbastanza bene, adesso è solo un rigurgito dal retrogusto un po' acre e malinconico. Una roba triste, meccanica.

– Va bene, che questa donna conoscesse le intenzioni di suo padre è una congettura. Plausibile, ma una congettura. Torniamo al notaio: a quel punto lei cosa gli ha detto?

Gli ho chiesto perché non me ne avesse parlato prima

– E lui?

– Ha risposto di avere avuto un problema di coscienza. Mi ha spiegato che le cose dette da mio padre in quel colloquio non avevano influenza sul testamento già esistente, che senza niente di scritto ogni diversa disposizione risultava priva di valore. Insomma, temeva di inquietarmi senza nessuna prospettiva pratica.

Le disposizioni di ultime volontà sono valide solo se in una delle forme previste dalla legge: testamento pubblico, testamento olografo o testamento segreto. Se il testatore le manifesta in forma orale si parla di testamento nuncupativo, che è nullo. E nel caso specifico non eravamo nemmeno in presenza di un testamento orale.

– Stando alle parole del notaio, suo padre ha solo manifestato l'intenzione di cambiare testamento, ma non ha indicato in modo specifico quali nuove disposizioni volesse adottare. È corretto?

– È corretto. Tutto questo non le pare strano?

In effetti, a parte i vizi logici del ragionamento, qualche perplessità era legittima. Però la donna mi sembrava sovraeccitata, non volevo assecondarla; feci solo un cenno con espressione neutra.

– Quando ha avuto questo colloquio con il notaio, la causa per l'impugnazione del testamento era già partita, giusto?

– Sí. Infatti sono andata subito a parlarne col mio avvocato. È rimasto colpito dall'informazione, ma mi ha confermato che non c'era modo di usarla nella causa. Piú o meno le stesse cose dette da lei e dal notaio: l'intenzione di cambiare un testamento già scritto regolarmente e depositato è irrilevante. Anche se mio padre fosse stato piú preciso a proposito delle modifiche si sarebbe trattato di una dichiarazione nulla.

– Gli ha manifestato i suoi sospetti?

– Sí. Questo nuovo elemento cambiava il quadro.

– E lui?

– Ha detto che con i sospetti non andavamo da nessuna parte, e mi ha consigliato di fare attenzione a esternarli. Se fossero emersi elementi concreti a carico di quella donna avremmo potuto sollevare una questione di indegnità per escluderla dalla successione, diversamente avremmo solo corso il rischio di una denuncia per calunnia.

– Facciamo un passo indietro. Quando suo padre è andato dal notaio e gli ha espresso il proposito di cambiare il testamento, ha spiegato i motivi che lo spingevano a quella decisione?

– Ripensandoci gli era parso piú giusto che una parte dell'eredità andasse a mia madre e che del denaro finisse in beneficenza o comunque per buone cause.

– Ma non ha alluso al motivo che aveva determinato la decisione? Contrasti con la moglie, un problema di salute?

– No, stando al notaio.

– Aveva mostrato un'urgenza di procedere?

– Il notaio mi ha detto solo quello che le ho riferito. E prima di salutarmi ha tenuto a ripetere che era rimasto a lungo in dubbio se parlami della faccenda, convinto che dell'informazione non si potesse fare alcun uso processuale, poi era giunto alla conclusione che dovessi comunque sapere.

– Ma si è dichiarato eventualmente disposto a riferire la cosa in un processo? Intendo il processo civile di impugnazione del testamento.

– Non ne abbiamo parlato, però credo che, se fosse necessario, se ci fossero le condizioni, accetterebbe di testimoniare.

Mi accesi una sigaretta dopo aver controllato quante ce n'erano ancora nel pacchetto. Mi ero data la regola di non fumarne piú di dieci al giorno e per evitare di barare con me stessa ogni mattina ne caricavo uno in modo che ne contenesse il numero esatto. Ero alla quarta, perciò, essendo pomeriggio, mi stavo comportando bene. A smettere non ci pensavo: l'idea mi comunicava un senso di lutto intollerabile, avrebbe significato chiudere i conti in modo definitivo con la prima parte della mia vita.

– Ne offre una anche a me? – mi sorprese Marina.

– Certo, – risposi, allungandole il pacchetto e pensando che avrei avuto il diritto di reintegrare la mia razione. – Non mi sembrava il tipo della fumatrice, – commentai passandole l'accendino.

– Neanche lei. Io avevo smesso, tra l'altro negli Stati Uniti fumare è davvero complicato. Però da quando sono tornata in Italia qualche sigaretta me la fumo, se trovo a chi scroccarla.

– Mi faccia riepilogare. Lei ritiene che la vedova di suo padre abbia saputo dell'intenzione di cambiare il testamento e che abbia, in qualche modo, ucciso il marito prima che il proposito si concretizzasse. L'idea nasce da una congettura basata su ciò che le ha detto il notaio; sulla circostanza, per lei sospetta, che la moglie non fosse a casa quando si è verificato il decesso; sul fatto che l'immediata cremazione abbia reso impossibili eventuali accertamenti autoptici. È corretto? Non ci sono altri elementi?

– Non ci sono altri elementi. Cioè: io non ho altri elementi. Voglio assumerla perché li scopra lei.

– Ha detto che è stata la donna delle pulizie a trovare il corpo.

– Sí.

– Com'è che ha avvertito proprio il medico di famiglia? Lo conosceva, aveva il numero?

– Sí, non so se fosse sua paziente anche lei, ma lo conosceva. Ha visto mio padre sul letto, è stata presa dal panico e lo ha chiamato.

– E non ha telefonato alla moglie di suo padre?

Rimase per qualche istante in silenzio, quasi fosse stupita di non essersi mai posta questa domanda e dunque di non conoscere la risposta.

– Sa che non lo so? – rispose alla fine.

Annotai mentalmente la cosa. Come la maggior parte dei dettagli poteva rivelarsi privo di valore, ma il lavoro dell'investigatore, nella prima fase, quando non sai nulla e non hai nemmeno una vaga ipotesi, consiste nel raccogliere e conservare tutto – oggetti materiali, tracce, frasi e congetture – in attesa che qualcosa di quel tutto serva a suggerire un'idea o a confermare un'intuizione o una pista. Molto noioso eppure indispensabile. Perché a volte proprio il particolare piú irrilevante può trasformarsi in quello decisivo.

– Sappiamo chi è l'ultima persona che ha visto suo padre vivo?

Ancora una volta pareva sorpresa di non essersi posta da sola una domanda cosí ovvia.

– Probabilmente qualcuno in clinica, bisognerebbe chiedere a loro. La moglie era partita il giorno prima, quindi non credo proprio.

– Mi racconti qualcosa di lei.

– Un'avventuriera. È stata una soubrette televisiva di seconda categoria; si è sempre fatta mantenere dagli uomini e a un certo punto ha trovato quello che l'avrebbe mantenuta per sempre.

– Come si sono conosciuti? Come è cominciata la loro storia?

– Lo ignoro. Non l'ho mai chiesto a mio padre, non era il genere di racconto che avrei voluto ascoltare. Accetterà l'incarico?

– Sa che non ho licenza di investigatore privato?

– Che significa?

– Significa che, nel caso, non potrei documentare il mio lavoro, e quello che eventualmente dovessi scoprire non potrebbe essere riversato in un fascicolo di indagini difensive. Poi significa che non posso rilasciarle fattura e via discorrendo.

– La fattura non mi interessa. Mi interessa scoprire se quella donna c'entra con la morte di mio padre.

– Voglio essere sincera con lei: sono scettica riguardo a

questa possibilità. Certe cose accadono spesso nei romanzi e nei film, molto di rado nella vita reale.

– Ma accetta?

– Mi lasci un giorno per pensarci. La richiamo.

4.

Salutai Diego, che sembrava ancora parecchio mogio, e me ne andai verso casa con in testa un vortice di pensieri e domande fuori controllo. Come poteva verificarsi una simile coincidenza? Perché il destino mi offriva questa assurda opportunità? Cosa era giusto fare? No, meglio: cosa era intelligente – non dico saggio – fare?

Ovviamente declinare, subito e senza troppe spiegazioni. Era l'unica scelta sensata. Certe porte vanno lasciate chiuse, quello che c'è dietro ha già prodotto abbastanza danni. Dovevo chiamare Marina Leonardi, dirle che ci avevo riflettuto, che mi ero convinta non ci fossero prospettive per un'indagine, che non mi sentivo di prendere i suoi soldi per un lavoro che di certo non avrebbe prodotto risultati. Fine.

Trattandosi di una scelta sensata, mi parve subito impraticabile.

Avevo una possibilità unica di terminare un lavoro interrotto a metà. Nessuno mi avrebbe restituito la vita di prima, però avrei potuto chiudere qualcuno dei conti rimasti in sospeso. Camminavo senza accorgermi della gente che mi scivolava accanto e mi ripetevo proprio questa frase sul chiudere i conti rimasti in sospeso. Quali fossero, esattamente, i conti rimasti in sospeso, non era affatto chiaro, ma in quel momento esagitato non ero incline alle sottigliezze.

In maniera del tutto incongrua, mentre mi dibattevo nel dilemma, mi ricordai dell'incontro di domenica con il tizio del cane. Nemmeno sapevo il suo nome. Chissà che faceva nella vita. Con ogni probabilità un lavoro regolare, con un orario e uno stipendio, visto che ai giardini ci veniva solo nel fine settimana. Mi sarebbe piaciuto parlare con lui di quanto mi stava accadendo, chiedergli un consiglio. Era del tutto assurdo, naturalmente, ma quando sei molto sola fai pensieri strani.

Arrivai al supermercato biologico vicino casa e feci una spesa sproporzionata. Il frigo e la dispensa erano vuoti, ma questo non giustificava il quantitativo di roba, perlopiú inutile, che presentai alla cassa.

Rientrai e trovai Olivia ad attendermi davanti alla porta. Non era il momento della passeggiata, ma lei ci prova sempre; scodinzolando speranzosa, indicò col muso il guinzaglio appeso alla manopola del calorifero.

– Piú tardi, collega. Devo pensare –. Frase fra le piú idiote, visto che pensare e camminare non sono mai stati incompatibili.

Lei se ne tornò sulla sua brandina e io preparai un'insalata che sembrava presa dal ricettario *Nutrirsi per vivere cent'anni*: avocado, semi di chia, anacardi, salmone, spinaci, pomodorini, rucola. Per compensare l'eccessivo effetto benefico del cibo aprii una bottiglia di Malbec, ne bevvi metà e, finito di mangiare, mi accesi una sigaretta.

Il fumo fa male, questo è notorio e non intendo discuterlo. Ma la nicotina aiuta il rilascio di dopamina, dunque genera un senso di benessere e aiuta a ragionare con piú lucidità. O almeno mi piace crederlo.

Fumando la sigaretta e bevendo il vino mi resi conto di una verità elementare. Se non avessi accettato l'incarico mi sarei tormentata a lungo, rimuginando su quell'occasione mancata di riallacciare i fili sospesi del mio passato.

Questo chiuse la discussione interna: avevo già abbastanza recriminazioni per aggiungerne un'altra, e di quel genere, di quelle proporzioni.

Dissi a Olivia che adesso potevamo uscire, ma la passeggiata era solo un rituale. La decisione era già presa.

Al rientro chiamai Marina Leonardi e le dissi che accettavo. Probabilmente fu stupita di una risposta tanto rapida, dato che le avevo chiesto un giorno per rifletterci, ma non fece né domande né osservazioni.

– Per cominciare mi servono la copia del fascicolo della causa per l'impugnazione del testamento e gli estremi delle persone che possono fornire informazioni sulla vicenda. Se per lei va bene ci vediamo domani nello stesso bar alle dieci.

– D'accordo. Ho bisogno di sapere l'importo del suo anticipo.

Sparai la prima cifra che mi venne in mente: – Tremila –. Non faccio un lavoro per il quale esista un tariffario e i miei compensi sono stabiliti a sentimento, per cosí dire. Senza contare che, in quel caso piú che in altri, il compenso aveva poca o nessuna importanza.

– In contanti, immagino.

– In contanti, grazie. A domani.

5.

Marina Leonardi era in ritardo. Stavo quasi pensando che avesse cambiato idea, che di lí a poco mi avrebbe chiamato, che me lo avrebbe detto, e provavo qualcosa di simile al sollievo. Come ogni volta di fronte ai dubbi che non volevo affrontare e che venivano risolti da un comportamento altrui, da un evento esterno.

– Scusi, sono stata trattenuta, – disse, poggiando sul tavolino un faldone e una busta gialla piuttosto rigonfia. Rimase in piedi.

– Si accomodi, – dissi, percependo qualcosa di stonato nella mia voce.

– Nella busta ci sono i soldi. Dovrebbero essere giusti, ma li riconti per sicurezza.

Lasciai la busta dov'era. – Non serve. Il faldone contiene le carte della causa?

– Sí. C'è anche un elenco delle persone che voleva sentire, piú alcune altre che mi sono venute in mente e che potrebbero essere utili. Quando e se ritiene le chiamo per preannunciare la sua telefonata o la sua visita.

Guardai il foglio. Marina doveva essere una persona precisa e forse un po' ossessiva. L'elenco era compilato al computer con ordine, formattato; per ogni persona c'erano nome, cognome, numero di telefono, indirizzo e una breve nota esplicativa.

– Mancano i dati della vedova di suo padre.

– Non pensavo le servissero.

– Sapere almeno il nome e dove abita sarebbe utile.

– Ha ragione, si chiama Lisa Sereni –. Scrisse a penna il nome in fondo alla pagina e aggiunse l'indirizzo. Poi consultò la rubrica del cellulare e annotò anche il numero di telefono. Restituendomi il foglio ebbe un attimo di esitazione. – Mica vorrà chiamarla?

– Prima che prenda i suoi soldi è bene chiarire un punto. Se dovessi scoprire qualcosa glielo riferirò, ma non è detto che possa dirle *come* ho fatto a scoprirlo. Di sicuro non le dirò prima in quale modo intendo procedere. Farò quello che mi sembrerà opportuno, e date le premesse – ribadisco – dubito che arriveremo a qualcosa di utile per i suoi fini. Comunque, o si fida, o non si fida. Se queste condizioni non le stanno bene è ancora in tempo a non conferirmi l'incarico. Abbiamo solo fatto due chiacchiere e finisce qua.

– L'avvocato aveva ragione.

– Su cosa?

– Ha detto che, per quanto ne sapeva, lei è un tipo facile all'incazzatura.

Stavo per replicare che non ero incazzata e che doveva augurarsi di non vedermi mai incazzata. Per fortuna colsi il ridicolo di una frase del genere – che fra l'altro confermava quello che aveva appena detto – e riuscii a trattenermi prendendo un lungo respiro.

– Comunque d'accordo, – concluse, – facciamo a modo suo.

– Va bene. Può dirmi qualcosa delle abitudini di suo padre? Se usciva la sera, chi frequentava, se era iscritto a qualche circolo o associazione? Cose tipo Rotary o simili? Faceva sport? Aveva avuto problemi di salute negli ultimi anni?

– No. Non so nulla della vita che faceva, né chi frequentasse. Non lo sapevo prima che sposasse quella donna, si figuri dopo. Non ci sentivamo quasi mai, gli auguri alle feste o poco piú. Di sicuro lavorava moltissimo, operava sia nella clinica universitaria sia in cliniche private. Dubito che avesse molto tempo libero. In passato giocava a tennis. Non me lo sarei immaginato andare in palestra o roba del genere.

– La vedova di suo padre? Lavora?

– Mi sento di escluderlo. Non credo abbia mai avuto una vera occupazione, e di sicuro da quando ha sposato mio padre è vissuta interamente a suo carico.

– Le risulta che abbia una relazione, o che magari l'avesse quando ancora suo padre era in vita?

– Non mi stupirebbe, ma non lo so.

– Lei ha avuto accesso alla casa di suo padre dopo la scomparsa?

– No. Era la loro casa, dove sono andati ad abitare quando si sono sposati. È l'indirizzo che le ho scritto.

– Ci è mai stata?

– No.

– Vi siete incontrati dopo il matrimonio? Intendo lei e suo padre.

– Sí, era passato appena qualche mese. Ero venuta in Italia per mia madre, mancavo da molto. L'ho chiamato per salutarlo e mi ha invitato a cena da loro. Cosí avrei conosciuto sua moglie.

– Ma lei ha declinato l'invito.

– Ho risposto che forse era meglio di no. Siamo andati in un ristorante, a pranzo, solo noi due.

Si interruppe bruscamente, come attraversata da un pensiero inatteso. – È stata l'ultima volta che ci siamo visti. Che strano, ci faccio caso solo adesso.

Parve turbata. La verità emotiva della morte del padre era apparsa inattesa sull'orizzonte della coscienza. Le diedi il tempo di elaborare quella constatazione mentre provavo a ragionare da investigatore. Ammesso che i sospetti di Marina avessero un minimo di fondamento, si trattava di una indagine quasi impossibile. Per la polizia e l'autorità giudiziaria, non solo per una investigatrice irregolare. Il corpo non c'era piú; non c'erano testimoni, ogni documento o oggetto appartenente alla presunta vittima era stato nella disponibilità della persona, per cosí dire, indiziata. Interruppi la mia deriva mentale. Il metodo dell'investigazione ha come premessa un concetto semplice: non sai cosa accadrà, non sai cosa verrà fuori. Mai. Ti metti a cercare, ti metti a fare domande, incontri persone; a volte non succede niente e finisci nel vicolo cieco che avevi immaginato. Altre volte, per caso, per fortuna, per bravura (distinguere queste entità è molto difficile, io non ci sono mai riuscita), inciampi in qualcosa che porta a qualcos'altro e poi a qualcos'altro ancora.

– Non ricordo nemmeno di che abbiamo parlato, quella volta, – riprese. – Volevo solo che finisse per poter andare via. Sa una cosa strana? Adesso, intendo proprio in questo momento che il discorso è venuto fuori, ho avvertito come un senso di colpa.

– Nei confronti di suo padre?

– Sí.

Le lasciai ancora qualche secondo, poi insistetti.

– Davvero non ricorda niente di quel pranzo? Suo padre non le ha raccontato qualcosa sulla moglie, sulla sua nuova vita?

Scosse la testa.

– No. Magari ha provato a introdurre l'argomento, ma ha colto la mia chiusura, la mia ostilità, e non è andato avanti.

– Quindi le informazioni che ha su questa donna da dove provengono?

– Me ne ha parlato mia madre e ho fatto qualche ricerca in rete.

– Sa di qualcuno che avesse motivi di ostilità verso suo padre?

– Di sicuro c'erano persone che lo odiavano. È stato un uomo che ha perseguito i suoi obiettivi senza preoccuparsi troppo – in realtà senza preoccuparsi affatto – degli altri. Ma questo non credo c'entri con la possibilità che la moglie sia responsabile della sua morte.

Ignorai la precisazione, che peraltro era logicamente corretta: lei non mi stava assumendo per verificare se *qualcuno* avesse assassinato suo padre. Mi stava assumendo per trovare le prove del fatto che suo padre era stato assassinato su commissione della moglie per motivi ereditari.

– Qualcosa su precedenti compagni o fidanzati della signora?

– No.

– Va bene. Per piacere, avverta oggi stesso il notaio, la donna di servizio e il medico che ha constatato il decesso che li cercherò per fissare un appuntamento. Li preghi di collaborare. Per gli altri, vedremo in seguito se è necessario sentirli.

– D'accordo. Se scopre qualcosa mi chiama?

– Se dovessi scoprire qualcosa di rilevante la chiamerò subito. Altrimenti mi farò sentire alla scadenza della settimana per aggiornarla –. Terminando la frase provai una fitta di disagio: stavo prendendo i soldi di quella donna per pagare un inseguimento tardivo dei miei fantasmi, con la quasi certezza che non le avrei dato quanto cercava.

La accompagnai all'uscita del bar. Ci stringemmo la mano e la guardai andare via. Si era alzato un vento freddo e forte, inusuale per Milano; provai a capire da che direzione soffiasse e non ci riuscii. Quel vento mi ricordava qualcosa che non ricordavo. Poi mi venne in mente la parola *presagio* e subito fermai il flusso dei pensieri. Sono materiale pericoloso, ho imparato a sorvegliarli.

Cinque anni prima

Mi dedicai a smaltire un po' di fascicoli che erano in attesa da parecchi giorni, preparai qualche lista testi, scrissi alcune deleghe di indagini per procedimenti di routine e ripresi in mano il modello 45 sugli «amici del sigaro». Se la segnalazione aveva un fondamento di verità, un errore da non commettere era delegare i primi accertamenti alle persone sbagliate.

Il quadro descritto permetteva di ipotizzare innanzitutto una violazione della legge Anselmi, approvata dopo lo scandalo della loggia massonica P2 e del suo maestro (per cosí dire) venerabile Licio Gelli.

Secondo questa legge si considerano associazioni segrete, vietate dall'articolo 18 della Costituzione, quelle che, occultando la loro esistenza o rendendo sconosciuti i nomi dei soci, svolgono attività diretta a interferire sull'esercizio delle funzioni di organi costituzionali, di amministrazioni pubbliche, di enti pubblici anche economici, di servizi pubblici essenziali di interesse nazionale.

Chiunque promuove o dirige un'associazione segreta o svolge attività di proselitismo a favore della stessa è punito con la reclusione da uno a cinque anni.

Chiunque partecipa a un'associazione segreta è punito con la reclusione fino a due anni.

Rilessi alcuni passaggi e alla fine decisi che avrei delegato la Digos.

Il dirigente era un funzionario piuttosto giovane, sveglio, simpatico, molto poco poliziesco. Si chiamava Calvino e non posso escludere che la mia favorevole disposizione nei suoi confronti fosse influenzata anche da quel cognome. L'avevo già incaricato di alcune indagini e mi era parso affidabile e fuori da certi schemi, dal rischio di certi coinvolgimenti. Inutile dire che la mia era una pura sensazione assai poco sostenuta da elementi di fatto. In base a quanto sapevo di lui (cioè pochissimo, a parte, appunto, il fatto che fosse sveglio e simpatico) poteva tranquillamente essere un affiliato alla loggia in questione. Ma funzioniamo cosí: decidiamo cose fondamentali sulla base di labili intuizioni, simpatia, antipatia, preconcetti (positivi e negativi) piú o meno inconsapevoli.

Lo chiamai e gli chiesi di venire il giorno dopo da me insieme a un vecchio ispettore di nome Capone, che conoscevo da anni e del quale mi fidavo, forse con qualche ragione concreta in piú.

Preparai una delega di indagini molto sintetica in cui chiedevo di identificare l'estensore dell'esposto verificando se corrispondesse al nome del firmatario e chiedendo di sentirlo a verbale per chiarimenti e approfondimenti. Gergo.

Quando mi raggiunsero in ufficio e spiegai loro di cosa si trattava, entrambi mi dissero quello che avevo già pensato io: di sicuro la firma era falsa e l'autore dell'esposto – di fatto un anonimo – era qualcun altro.

– Sí, – convenni, – potrebbero essere solo farneticazioni, ma trattiamo comunque la cosa con discrezione, nel caso remoto ci fosse qualcosa di fondato.

– Va bene, – annuí Calvino. – Intanto controlliamo se esiste qualcuno che corrisponde alla firma. La informo dopo che abbiamo fatto.

Due giorni piú tardi mi richiamò: in quel palazzo abitava in effetti un signore che rispondeva al nome riportato nella mail. Sentito a verbale, era caduto dalle nuvole negando di aver mai scritto alcun esposto. Nel palazzo, però, esisteva anche il club del sigaro di cui parlava l'autore – ormai anonimo certificato – dell'esposto.

Decidemmo allora di predisporre un appostamento il martedí successivo, per verificare se la storia della presunta loggia fosse un'invenzione oppure no.

L'appostamento, come si dice, andò a buon fine: qualche minuto prima delle diciannove cominciò una sfilata di berline nere di grossa cilindrata. Si fermavano davanti all'indirizzo, depositavano i loro passeggeri – tutti maschi, adulti o anziani, in giacca e cravatta – e andavano via. Circa due ore dopo la riunione finí, le auto tornarono e ricaricarono i passeggeri, che uno dopo l'altro scomparvero nella sera.

6.

Ero sorpresa di vederlo lí durante la settimana. Mi salutò con la mano, si sedette, tirò fuori libro e taccuino e cominciò a leggere.

Quando finii l'allenamento ero indecisa su come comportarmi. La direzione di casa era opposta rispetto alla panchina. Rimasi a rifletterci una manciata di secondi, mi innervosii per la mia goffaggine e mi avvicinai.

– Cosa legge?

Mi mostrò la copertina – gialla – e il titolo. *La natura del pregiudizio*.

– Un vecchio classico della psicologia.

– Lei è uno psicologo?

– No, sono un maestro, alle elementari. Di questi tempi avere a che fare con bambini di tutti i colori e genitori di tutti i tipi ti induce a soffermarti su certe cose.

– Non ha scuola, oggi.

– I bambini sono al Museo della Scienza con le colleghe.

Cercai di ricordare se avessi mai conosciuto uno che faceva quel lavoro. Intendo un individuo di sesso maschile.

– Non è frequente che un uomo faccia il maestro.

Lui sorrise.

– No, non è frequente. Siamo meno dell'un per cento del totale.

Per un attimo pensai che mi avrebbe chiesto cosa facessi io. Una domanda cui, per usare un eufemismo, preferisco non rispondere. Anche perché io stessa non lo so cosa faccio, con precisione. Lui però non mi chiese nulla.

– È davvero bellissima, Olivia. Avrà tre anni e mezzo, massimo quattro.

– Sí, ha quattro anni.

– Vuole accomodarsi sulla mia panchina? – Era una frase un po' bizzarra, ma lui la pronunciò con tono serio, come se davvero la panchina fosse sua.

– Grazie. Le dà fastidio se accendo una sigaretta?

– No. Anche se è un po' strano che uno fumi subito dopo aver fatto sport.

Accesi la sigaretta. Olivia si accucciò fra di noi.

– Non vengo ad allenarmi per la salute.

– Ah. Però è molto brava, fa degli esercizi abbastanza straordinari, per una donna.

– Io ho trovato abbastanza straordinario quello che ha fatto lei l'altra volta, quando ha separato i due cani.

– C'è una tecnica, non troppo difficile da imparare. Ma la cosa piú importante è l'atteggiamento psicologico. Bisogna rispettare il cane e il pericolo che rappresenta in quel momento, senza averne paura.

– Ho sempre avuto un rapporto poco equilibrato con il pericolo.

Annuí con espressione cordiale, senza stupore, come se il mio fosse stato un commento sul tempo atmosferico.

– Ha voglia di fare merenda?

– Merenda?

– Sí, c'è un locale poco lontano da qui. È di alcuni amici miei. Si chiama proprio *Ora di merenda*. È aperto solo il pomeriggio, dalle tre alle sette. Ci venga, è un posto divertente.

– Posso portare Olivia?

– Certo. Accettano i cani, e Olivia comunque è bravissima.

– Va bene, andiamo a fare merenda.

Camminammo una decina di minuti fino a un posto che non avevo mai notato, vicino alla metro Palestro. L'idea, mi spiegò, era di riprodurre il rituale della merenda di tanti anni fa. Per chi c'era allora e per i ragazzini di oggi. Quando entrammo si sentiva in sottofondo la sigla iniziale di *Happy Days* e la botta di nostalgia arrivò, netta e inevitabile.

C'erano bambini, ovvio, ma anche parecchi adulti – alcuni *decisamente* adulti – che parevano godersi un quarto d'ora di viaggio a ritroso nel tempo. Il menu dalla grafica vintage proponeva pane e marmellata, pane e Nutella, torte di pan di Spagna farcite sul momento con creme varie, biscottoni della nonna, bicchieri di latte, cioccolata calda in tazze celesti.

Una ragazza formosa che serviva ai tavoli ci salutò e ci indicò un tavolino libero dove andammo a sederci.

– Conosci questo posto perché ci porti i bambini della scuola? – dissi, rendendomi conto un attimo dopo di avergli dato del tu e di quanto fosse stupida la domanda.

– I bambini mi piacciono, ma il tempo che passo con loro in classe è piú che sufficiente. Dopo tante ore senti il bisogno di staccare. Nulla di originale, del resto, vale per qualsiasi lavoro. Comunque mi chiamo Alessandro.

– Penelope, – risposi, chiedendomi se dovessi dargli la mano per ufficializzare la presentazione. Meglio di no, mi dissi. Meglio evitare un ulteriore gesto goffo.

– Sono passata al tu...

– Buona idea. In effetti darsi del lei mangiando pane e Nutella suonerebbe un po' bislacco.

Bislacco. Da quanto non sentivo pronunciare quella parola? E chi era stato l'ultimo da cui l'avevo ascoltata? Forse un vecchio zio quando ero bambina, all'epoca in cui, appunto, alle cinque del pomeriggio facevo merenda.

La macchina del tempo predisposta abilmente da chi aveva immaginato e progettato quel locale funzionava benissimo. Sembrava che da certi momenti fossero trascorsi solo pochi giorni, o poche settimane. Dissolta, annullata tutta la sabbia del passato nella mia clessidra. Banale, lo so, ma la sabbia è proprio la metafora perfetta, indipendentemente dalle clessidre. Non riesci ad afferrarla, non riesci a trattenerla e al massimo te ne rimane qualche granello addosso, di cui ti accorgi, all'improvviso, molto dopo.

Ordinammo entrambi un caffè (le regole della nostalgia, per fortuna, non lo vietavano) e una fetta di torta margherita con la crema fresca.

– Non credo sarei mai stata capace di fare il tuo lavoro. Intendo, stare con i bambini ogni giorno.

– Non dico che sia un lavoro come un altro – non lo è – ma quando ci sei ti rendi conto che è meno difficile di quanto uno creda. Poi certo, ci sono quelli che i bambini proprio li detestano.

– Come mai hai deciso di diventare maestro?

– Per parecchio tempo mi sono ripetuto: per fare un dispetto a mio padre.

– Capita.

– Era un professore universitario. Adesso è in pensione. Secondo lui avrei dovuto seguirne le orme accademiche. Uno psicanalista sosterrebbe che il suo narcisismo era cosí debordante da dover essere proiettato anche sul figlio. Magari sto dicendo una scemenza, e se qui ci fosse uno psicanalista mi suggerirebbe di non teorizzare su questioni che non conosco abbastanza.

– Cosa insegnava?

– Storia della letteratura italiana. Non credo abbia mai letto un libro, perlomeno nella sua vita adulta, per il gusto di leggerlo. Lo stesso vale per i quadri o i brani musicali. Era ossessionato dai significati, dai doveri della critica, il marxismo, lo strutturalismo.

– Perché dici «era»? Hai detto che è in pensione.

– Sí, sí, è vivo e sta benissimo. Era cosí quando lavorava, ed era un barone universitario. Quel modo di intendere la letteratura, i libri, la lettura era un pezzo della sua identità e, in qualche modo, del suo potere. Dopo la pensione è cambiato, in meglio. Uno dei casi rari di un uomo che migliora con la vecchiaia. Adesso non saremo proprio amici, ma almeno riusciamo a parlare.

– E dunque sei diventato maestro per contraddire le aspirazioni di tuo padre?

– Come ti dicevo, l'ho immaginato per parecchio tempo. Ora non sono piú cosí sicuro. Forse, semplicemente, non avevo doti sufficienti, o adatte, alla carriera che lui avrebbe voluto per me. Ognuno di noi cerca di raccontarsi una storia coerente, che tenga insieme chi siamo, chi pensiamo di essere, le esperienze che crediamo – o ci piace credere – ci abbiano segnato. Ognuno di noi è convinto di avere opinioni, ma quasi mai è vero –. Si interruppe, scosse la testa, sorrise. – Va bene, non so che mi ha preso a tirar fuori certi discorsi. Dimmi di te. Che fai?

Prima o poi la domanda doveva arrivare.

– Un po' lunga da raccontare e da spiegare.

– Non volevo essere indiscreto.

– Non lo sei. È solo una storia un po' lunga. Magari la prossima volta ti racconto. Oggi mi godrei la merenda.

Per qualche minuto rimanemmo in silenzio, mangiando la torta e bevendo il caffè.

– Mi spiace, sono stata scortese, – dissi infine.

– No, per niente, – replicò, e non sembrava una risposta di circostanza.

– Mi ha incuriosito quello che hai detto sulle opinioni, che ognuno di noi è convinto di averne, ma quasi mai è vero.

– A lungo non ho avuto opinioni. Ascoltavo quelle degli altri e poi, con qualche modifica, le proponevo come mie. Ero un ottimo riciclatore di opinioni altrui, individuali o collettive che fossero. Non me ne rendevo nemmeno conto, accadeva sotto la soglia della coscienza.

– E com'è che te ne sei accorto? – domandai, pensando che qualcosa di molto simile era successo anche a me.

– Non lo so. A proposito di assenza di certezze. Suppongo sia stato un meccanismo carsico, sotterraneo. Un fenomeno che si è verificato quasi senza che lo avvertissi. Di sicuro, a un certo punto, mi sono ritrovato sprovvisto di opinioni. Che fossero mie o rubate. Mi ci è voluto un po' per comprendere che non è una cosa inusuale o negativa, che anzi è una condizione comune alla maggior parte delle persone.

– Comune inconsapevolmente –. Mangiai le ultime briciole della torta e finii di bere il caffè. – Tutti pensano di avere opinioni.

– Già, – rispose. E dopo qualche istante di pausa: – Ho capito che ci sono argomenti di cui preferisci non parlare. Non ti faccio domande per non metterti in imbarazzo, non perché non sia interessato a sapere chi sei.

Quella frase mi diede una fitta di tristezza, il senso doloroso di qualcosa di irrevocabile.

– Adesso devo andare, – concluse.

– Sí, chiediamo il conto.

– Sei mia ospite.

Uscimmo e lui disse che ci saremmo rivisti ai giardini e a me venne l'irrazionale paura che invece non sarebbe piú venuto e che non l'avrei piú rivisto. Non mi aveva chiesto il numero di telefono; vincendo l'orgoglio, presi l'iniziativa e glielo diedi io.

– Segnati il mio cellulare, magari ti viene voglia di chiamarmi.

Mi guardò per un attimo, come se ci fosse stato un significato recondito in quella frase banale; e, a ben pensarci, forse c'era. Poi rispose che sí, volentieri. Se lo sarebbe segnato e mi avrebbe mandato un messaggio, in modo che anch'io avessi il suo.

Ci salutammo. Lui se ne andò da una parte, Olivia e io dall'altra.

– Che ne pensi di questo tizio? – le chiesi mentre ci incamminavamo verso casa.

7.

La mattina dopo per prima cosa sfogliai la copia del fascicolo del procedimento civile per l'impugnazione del testamento. Non c'era nulla di interessante, nulla di utile per l'indagine che mi accingevo a cominciare. Dopo mezz'ora di noiosa lettura misi via quelle carte, pensando – non era la prima volta – che non sarei mai stata capace di fare il giudice civile.

Presi l'elenco di nominativi che mi aveva fornito Marina e stabilii che avrei cominciato con il notaio e la donna di servizio che aveva scoperto il cadavere. Chiamai lo studio del primo e parlai con un'impiegata dal tono saccente che voleva darmi un appuntamento per la settimana dopo. Quando la informai che si trattava di cosa delicata e urgente che riguardava la successione Leonardi, esitò qualche istante. Poi mi pregò di attendere in linea e due minuti dopo mi comunicò che il notaio mi avrebbe ricevuta quel pomeriggio alle sedici.

Telefonai alla donna di servizio, Elena Pinelli. Aveva una voce inattesa: priva di accento, educata e diffidente. Lavorava fino alle diciotto, poteva incontrarmi dopo quell'ora e cosí ci accordammo.

Gli studi notarili dove ero stata in passato erano arredati con mobili scuri e scaffali pieni di archivi, repertori e codici. Anche se non c'era polvere, davano l'idea di luoghi polverosi. Quel posto era molto diverso. L'arredamento era essenziale, di buon gusto, sicuramente costoso. I repertori, che non potevano non esserci, erano invisibili, forse occultati da armadi mimetici a muro. C'erano quadri astratti, litografie e soprammobili di design. Sembrava la sede di una start-up o lo studio di un architetto alla moda.

Il notaio Buonfiglio era un bel signore sulla sessantina. Molto in forma, indossava un maglioncino di cachemire giallo sotto il quale si intuivano braccia lavorate in palestra; statura media, compatto, occhi azzurri non banali, pochi capelli tagliati cortissimi. Esibiva una lieve abbronzatura, nonostante fosse novembre; non sembrava un colorito artificiale, l'uomo doveva essere uno che passava del tempo all'aria aperta. Dal modo in cui mi guardò fu chiaro che aveva elaborato anche lui una diagnosi piuttosto accurata su di me. Chissà quando ci prova, mi domandai di sfuggita mentre con un cenno cerimonioso mi invitava ad accomodarmi su una poltrona di pelle; lui si sedette di fronte a me, sulla poltrona gemella.

– Le confesso che quando Marina Leonardi mi ha chiamato per preannunciarmi la sua visita mi ero immaginato una persona diversa, – disse massaggiandosi distrattamente un braccio. Controllava che i muscoli fossero tutti al loro posto, è un gesto che fanno spesso gli uomini preoccupati – a volte ossessionati – dalla loro forma fisica.

– Che persona si era immaginato?

Ci pensò un po' su, come se quella domanda piuttosto banale contenesse un significato complesso che, appunto, richiedeva riflessione prima della risposta.

– In effetti non saprei. Non mi aspettavo niente di specifico, ma non una come lei.

Ci stava provando ancora prima di cominciare. Lasciai

cadere lo spunto, non chiesi cosa volesse dire con «come lei» per evitare una inutile schermaglia. Lui non era male, uno da cui si poteva pure accettare un invito. Ma le tattiche per dire e non dire, gli espedienti studiati in modo da tentare gli approcci lasciandosi sempre una strada aperta per precisare che approcci non erano – del tipo stavo scherzando oppure scusa ma temo tu abbia equivocato – mi erano venuti a noia. Un gioco che avevo giocato troppe volte.

– Dunque Marina si è convinta che il padre sia stato assassinato, – disse di colpo.

– Lei cosa ne pensa?

– Mi pare un'idea balzana, se posso essere franco –. Aspettò qualche istante per vedere se avevo dei commenti. Non dissi niente. La gente parla di piú e dice cose piú interessanti se deve riempire il silenzio dell'interlocutore. – Tutto sembra molto chiaro, – riprese. – Vittorio Leonardi ha avuto un infarto e fra l'altro, secondo me, gli è anche andata bene. Una cosa rapida, niente malattia, niente invalidità, niente mortificazioni. Ho letto in un romanzo una frase riguardo alla morte che riassume il mio punto di vista.

– Cioè?

– Un personaggio chiede a un altro: «Lei ha paura della morte?» Risposta: «Non particolarmente, quello che mi disturba è l'idea dei preliminari».

– Già, difficile non essere d'accordo.

– Lei è stata incaricata di indagare su questa faccenda. Crede davvero ci sia qualcosa da scoprire?

Non avevo alcuna intenzione di dirgli la verità. Il massimo che potevo permettermi era una bugia moderata.

– L'ipotesi piú probabile è che le cose stiano come sembrano, cioè come dice lei. Certe indagini, però, muovono dall'idea che a volte, di rado, le cose *non* stanno come sembrano.

Annuí leggermente, quasi stesse soppesando le mie parole. O forse era solo l'impressione che voleva dare.

– Ricorda quando il professor Leonardi le parlò per la prima volta della sua decisione di fare testamento?

– A dire il vero non mi manifestò intenzioni. Un pomeriggio di tre anni fa circa mi chiamò e mi chiese se poteva passare dallo studio per parlarmi di una cosa. Quello stesso giorno non era possibile, perciò ci vedemmo l'indomani.

– In che rapporti era con il professor Leonardi?

– Dire che fossimo amici sarebbe eccessivo. A volte capitava di frequentarsi. Lo conoscevo da tanto tempo.

– Ha avuto modo di frequentarlo anche con la seconda moglie?

– No, non è mai successo. L'ho conosciuta quando è venuta in studio per la lettura del testamento.

– Sa se Leonardi appartenesse a qualche circolo o associazione? Rotary o simili?

– Non era un mistero che fosse massone. Anche di una certa importanza. Non saprei dirle nulla di piú preciso, non ho mai avuto interesse per questo tipo di sodalizi. Non le ho chiesto se posso farle ordinare qualcosa al bar.

– Sto bene, grazie. Quindi il giorno dopo la chiamata, Leonardi venne in studio da lei.

– Sí, e portò con sé il testamento olografo già pronto. Compilato tutto di suo pugno, scritto in corsivo, con una stima complessiva del patrimonio e stime specifiche dei beni piú importanti. Evidentemente per evitare questioni di violazione della legittima. A quanto pare, però, non è bastato, visto che pende una causa.

– Cosa le disse nell'occasione?

– Non molto. Non mi chiese pareri tecnici, era venuto solo per depositare l'atto. Aveva già deciso tutto. Io mi limitai a prendere in consegna il testamento.

– Poi però tornò sull'argomento. Quanto tempo dopo?
– Non saprei con precisione ma, a occhio e croce, qualche settimana prima di morire. Quindi circa un anno dopo la consegna del testamento.
– Cosa le disse, esattamente?
– Che ci aveva pensato a lungo e che intendeva modificare le sue disposizioni includendo l'ex moglie e la donna di servizio, che era quasi una di famiglia; inoltre voleva lasciare dei soldi a una fondazione che si occupa di ricerca scientifica. Credo abbia fatto riferimento anche ad altri, che abbia parlato di beneficenza, ma non ricordo bene.
– Spiegò i suoi motivi? Era successo qualcosa che l'aveva indotto a prendere quella decisione? C'era stato qualche contrasto con la moglie?
– Disse solo che ci aveva pensato a lungo.
– Sembrava che qualcosa lo preoccupasse?
– No, pareva tranquillo. In generale, per come lo conoscevo, non era uno che mostrava le proprie emozioni.
– Lei si fece delle domande sul perché di quel ripensamento?
– Non subito dopo averci parlato. In sé non c'era nulla di straordinario, capita. Anche se, di solito, non a distanza di tempo cosí ravvicinata. Ci feci caso quando seppi che era morto.
– Però non ne ha parlato subito con la figlia.
– Pensai di farlo dopo la pubblicazione del testamento. Ma mi resi conto che si trattava di una informazione al tempo stesso grave e irrilevante. Nel senso che quello che mi aveva detto Leonardi non aveva nessuna influenza sulla validità ed efficacia del testamento già depositato, e avrebbe ulteriormente inasprito la figlia.
– Poi ha cambiato idea.

– Mi sono detto che Marina aveva il diritto di sapere. O per dirla in altri termini: che io non avevo il diritto di tenere per me quell'informazione.

– Sa se Leonardi avesse manifestato la sua intenzione a qualcun altro? Alla moglie in particolare?

– Non lo so. L'ultima volta che ho parlato con lui è stato in quell'occasione. Dopo non l'ho piú visto né sentito.

– Se ci fosse la necessità, avrebbe problemi a riferire in sede giudiziaria questa circostanza?

– Non muoio dalla voglia, ma se vengo chiamato da un giudice faccio quello che devo. La questione è che, come le ho detto, si tratterebbe di un aspetto irrilevante nella causa civile.

Non pensavo alla causa civile, ma non mi parve indispensabile precisarlo in quel momento.

– Va bene, dottore, grazie. Se dovesse venirle in mente qualche altro dettaglio, anche all'apparenza insignificante, le sarei grata se me lo comunicasse.

Mi alzai e si alzò anche lui, con un movimento elastico leggermente esibito, da uomo giovane.

– Mi piacerebbe che lei compensasse in qualche modo la mia collaborazione alla sua indagine.

– In che senso?

– Ha da fare stasera? C'è un ristorante giapponese stellato che vorrei farle provare.

– Purtroppo sono impegnata. Cena con un'amica.

Si strinse nelle spalle.

– Ho fatto un tentativo. Magari fra qualche giorno ne faccio un altro. E magari lei accetta.

Magari accetto, certo.

8.

Siamo tutti intrappolati dagli stereotipi, e io non sono migliore degli altri. Decisamente no. Di regola quando pensi a una donna delle pulizie non piú giovane ti immagini una persona un po' sovrappeso, non troppo curata nell'aspetto, munita di senso pratico e magari di una certa bonomia popolaresca. E mi scuso per la sfilata di luoghi comuni. La signora che aveva lavorato come domestica per Leonardi, e ne aveva ritrovato il corpo senza vita, era alta e snella, capelli corti grigi tendenti al bianco, perfettamente in ordine, occhi azzurri, una faccia intelligente e malinconica. Un tempo, di sicuro, era stata molto graziosa. Doveva avere poco piú di sessant'anni ben portati.

Avevamo preso appuntamento in piazzale Loreto, vicino al suo posto di lavoro da un'anziana. La ringraziai per aver accettato di incontrarmi e lei rispose con un cenno del capo. Asciutta, non cordiale ma nemmeno ostile.

– Andiamo a sederci in un caffè cosí possiamo parlare con calma?

– Va bene, – rispose Elena. Entrammo in un bar. Gli arredi erano anni Settanta, le bottiglie dietro il barista erano anni Settanta, il barista era anni Settanta e il tutto comunicava quella mistura di allegria e squallore tipica di certi luoghi che attraversano i decenni senza cambiare mai. C'erano diversi tavolini, ma uno solo era occupato da due signore anziane che bevevano tè, mangiavano pasticcini e parlavano fitto. Chissà perché pensai fossero due vecchie amiche che non si vedevano da tempo e che si stavano raccontando tutto quello che era successo negli ultimi mesi o negli ultimi anni.

– Ha finito adesso di lavorare? – chiesi.

– Sí. Come le ho accennato al telefono mi occupo di una signora piuttosto anziana, diciamo vecchia. A lei piace dire che sono la sua dama di compagnia. E a me piace pensare di essere una dama di compagnia e non una badante.

– Quanti anni ha la signora? Come sta?

– Ottantotto e in effetti bisognerebbe augurarsi di arrivarci, se ci si arriva, in quelle condizioni. È autosufficiente, la accompagno a passeggiare, a volte al cinema, e anche a teatro. Sbrigo delle faccende domestiche, cucino, la aiuto un po' per l'igiene personale, ma ci sono altre due persone che si occupano dei lavori piú faticosi e delle notti. Insomma, non è male.

– Da quanto tempo ha l'attuale occupazione?

– Da circa un anno. Dopo la morte del professore non ho continuato a lavorare per la moglie. Sono rimasta disoccupata per qualche mese finché ho trovato questa opportunità. Per fortuna avevo buone referenze, è una famiglia piuttosto ricca, guadagno in modo accettabile e mi hanno messo in regola.

– Vuole bere qualcosa? – Chissà perché ero convinta che avrebbe detto «no, grazie». Invece rispose: – Sí, grazie. Prendo un tè.

Andai al bancone, ordinai due tè con gli stessi pasticcini delle vecchiette e tornai al tavolo.

– Per quanti anni ha lavorato dal professor Leonardi?

– Oltre quindici anni. Ho cominciato che ancora viveva con la prima moglie.

In quel momento arrivò il cameriere con un vassoio.

Lei chiese anche un bricco di latte freddo. Usò proprio quella parola – bricco – cosí fuori moda, cosí vagamente aristocratica.

– Non voglio rubarle troppo tempo. Mi racconta di quella mattina, quando trovò il professore?

Fece un rapido sospiro, bevve un sorso di tè.

– Ero arrivata come sempre alle otto e avevo aperto la porta con le chiavi; di solito a quell'ora il professore era già uscito. Però non c'erano giri di serratura, cosí pensai che fosse ancora in casa e dissi qualcosa ad alta voce, perché capisse che ero lí.

– Quindi sapeva che la moglie era partita.

– Sí, se ci fosse stata la signora, avrei suonato il campanello prima di entrare.

Notai una lieve enfasi su «signora». Una sfumatura di ironia appena percepibile.

– Vada avanti.

– Dissi: «Professore, è in casa?» o qualcosa di simile. Come può immaginare non ci fu risposta. Ebbi subito un cattivo presentimento.

– Cioè?

– Pensai che fosse successo qualcosa. Certo, fu questione di attimi, perché qualche secondo dopo *seppi* che era successo qualcosa.

– Esisteva qualche motivo, intendo un motivo pregresso, che giustificava quella sensazione?

Scosse la testa e, forse, pensò qualcosa che non mi disse.

– No, nessun motivo specifico. Purtroppo nella mia vita non mi sono mai sbagliata quando ho avuto dei brutti presentimenti.

– Poi?

– Andai nella stanza da letto e vidi il professore disteso, tutto vestito ma senza scarpe. Era morto, lo capii subito. Voglio dire, dalla faccia. Era grigio, avevo già visto persone morte.

– Notò qualcosa fuori posto nella camera da letto? Oggetti rovesciati, abiti per terra?

– No, ma non posso dire di aver guardato con attenzione. Uscii dalla camera e telefonai al dottor Loporto.

– Perché chiamò proprio lui e non la moglie?

Esitò per qualche istante. Bevve il tè che rimaneva nella sua tazza e se ne versò dell'altro.

– La moglie del professore era partita, perciò non sarebbe arrivata subito. Il dottor Loporto era quasi una persona di famiglia, l'unico medico amico del professore che io conoscessi. Fu naturale chiamare lui, anche se mi era chiaro che non avrebbe potuto fare nulla.

– Le rispose subito?

– No. Provai due volte, lasciai squillare a lungo. Mi stavo già chiedendo chi altro avrei potuto cercare, poi richiamò lui.

– Lei aveva il numero del dottor Loporto o lo trovò in qualche agenda, qualche rubrica?

– Avevo il suo numero. Non era il mio medico, ma qualche volta mi aveva visitato; mi ero rivolta a lui per avere dei consigli, era stato il professore a mandarmi da lui anni prima.

– Ma quando aveva bisogno di pareri medici non chiedeva direttamente al professore?

– So che può sembrare strano, però il professore non gradiva che gli si chiedessero opinioni in modo informale.

– Perché?

Allargò le braccia.

– Era fatto cosí, un carattere non facile.

Mi venne voglia di una sigaretta, solo che non eravamo nel retro del bar di Diego e non mi parve una buona idea interrompere la conversazione per andare fuori a fumare.

– Va bene. Dunque, il dottor Loporto la richiamò.

– Sí, lo informai e lui arrivò nel giro di mezz'ora, forse anche prima.

– Cosa disse dopo averlo visto?

– Che quasi certamente il professore aveva avuto un infarto e che doveva essere morto già da una decina di ore, forse di piú.

– Che lei sappia il professore soffriva di qualche patologia? Aveva problemi cardiaci, o altro?

– Non mi risulta, ma se li avesse avuti non ne avrebbe parlato a me.

– Quando lo ha visto per l'ultima volta in vita?

– Qualche giorno prima. Tornò a casa mentre ero ancora lí, nel pomeriggio. Non accadeva di frequente, di solito rientrava che io ero già andata via. Lo vedevo il sabato, se non era in clinica.

– Ricorda qualcosa in particolare di quell'ultimo incontro?

Fece no col capo.

– Non so neanche se ci siamo parlati, a parte il saluto.

– Va bene. Se non le dispiace torniamo alla mattina del ritrovamento. Chi ha informato la moglie?

– Il dottor Loporto.

– Come reagí alla notizia?

– Non lo so. Non ho assistito alla telefonata, il dottore si spostò in un'altra stanza.

– Quando è rientrata?

– Nel pomeriggio.

– Come si comportò?

– Non mi è mai sembrata un tipo particolarmente emotivo.

– Vuol dire che non ha dato segni di turbamento?

– No.

– Non ha pianto, non si è disperata?

Un'ombra di sarcasmo le balenò sulle labbra.

– No, direi proprio di no.

Mi presi un minuto per riflettere su quell'informazione, che era equivoca e poteva significare cose diversissime.

– Ha detto di avere lavorato con il professore per oltre quindici anni?

– Sí.

– Ha sempre fatto questo tipo di lavoro, diciamo di collaborazione familiare?

– No.

– Posso chiederle di cos'altro si è occupata?

– La mia non è una storia molto interessante.

– Se non le sembro indiscreta o invadente, sarei curiosa di sentirla.

Parve chiedersi cosa volessi davvero, che ragione o che insidia si nascondesse dietro la mia curiosità. Dovette decidere che, anche nel peggiore dei casi, non poteva venirne niente di male. Si versò nella tazza quello che restava del tè e ne bevve ancora, come per darsi forza.

– Va bene, cerco di farla breve, visto che in realtà è una storia lunga e penosa. Mi sono laureata in Giurisprudenza a Bologna e quello dell'università è stato il periodo piú bello della mia vita. Poi ho fatto i concorsi e ne ho vinto uno da funzionario al comune di Chieti: vengo da un paesino di quella zona. Cosí sono tornata dalle mie parti. Per qualche anno ho fatto una tranquilla vita di provincia, senza troppe emozioni ma anche senza troppe scosse.

– Poi conobbe un uomo, – dissi, quasi senza rendermene conto. Se lei si stupí per la mia intuizione, non lo diede a vedere.

– Già, poi conobbi un uomo. Lavorava in finanza, viveva a Milano ed era venuto giú da noi per un affare. Era bello, aveva tanti soldi e li spendeva con stile; io ero una ragazza di provincia, carina e sprovveduta, nonostante gli anni a Bologna e le mie pose da intellettuale. Mi innamorai di lui. E forse anche lui si innamorò di me. O forse no, forse ero un gioco come tutto il resto. A distanza di tanto tempo, con quello che è accaduto, è difficile dirlo. Comunque, decidemmo di sposarci, ma io ero dipendente del comune e non potevo avere trasferimenti altrove; lui mi disse che non avevo alcun bisogno di lavorare. Cosí diedi le dimissioni e lo seguii a Milano. Per diversi anni le cose andarono bene, almeno all'apparenza, anche se sempre piú spesso avevo la percezione che qualcosa fosse fuori posto. Qualcosa che non avrei saputo identificare.

– Cosa è successo?

Fece un sogghigno.

– Sa cos'è uno schema Ponzi?

Lo sapevo bene. È un'operazione finanziaria truffaldina, una specie di Catena di Sant'Antonio. Prende il nome da un tale Charles Ponzi che per primo la mise in atto all'inizio del secolo scorso. Rastrelli investimenti promettendo rendimenti superiori ai tassi di mercato e in tempi brevi; paghi questi primi rendimenti con gli altri soldi che raccogli quando si sparge la voce che sei la persona giusta per guadagnare tanto e rapidamente. Gli investitori si moltiplicano a volte in progressione geometrica finché le richieste di rimborso superano i nuovi versamenti. A quel punto salta tutto, un sacco di gente finisce sul lastrico e tu, l'ideatore del marchingegno, finisci in carcere, se non riesci a scappare prima.

Il marito di Elena era riuscito a scappare.

– Da un giorno all'altro è scomparso nel nulla, senza avvisarmi e lasciando un buco di vari miliardi… c'erano ancora le lire. Fu emessa un'ordinanza di custodia cautelare in carcere che non è mai stata eseguita. Ho avuto sue notizie mesi dopo, dalla Namibia...

– Che non ha trattato di estradizione con l'Italia.

– Appunto. Mi telefonò, disse molte cose confuse. Che presto avrebbe sistemato tutto, che in quel Paese si trovava bene e c'erano un sacco di opportunità, che sarebbe tornato o io lo avrei raggiunto. Una cosa dopo l'altra, un discorso incoerente. Gli domandai come potevo contattarlo e lui mi disse che presto mi avrebbe inviato un recapito, ma doveva essere cauto.

– Poi?

– Poi non l'ho piú sentito. Il processo si è celebrato in contumacia e lo hanno condannato a dieci anni di carcere. Tutte le sue... le nostre proprietà sono state sequestrate. Se è mai rientrato in Italia, io non l'ho saputo.

– Vuol dire che l'ultimo contatto che ha avuto con lui è stata quella telefonata? Piú nulla?

Annuí con un'espressione di lieve imbarazzo, come se si sentisse responsabile dell'enormità di quel comportamento.

– Insomma, per farla breve, mi ritrovai sola e povera e piena di vergogna per colpe non mie. In una città che può essere spietata. Dove chi resta indietro... be', resta indietro.

– Non ha mai pensato di tornare in Abruzzo?

Scosse la testa.

– Avevo solo un fratello maggiore – adesso è morto – con cui i rapporti non erano mai stati esaltanti e qualche vecchia zia. Cosa potevo fare, laggiú, a parte diventare materia di pettegolezzi e bersaglio di sguardi di compatimento ipocrita? Sono rimasta a Milano. Dovevo sopravvivere e sono sopravvissuta. Poco importa se il modo è stato molto diverso da quello che mi ero immaginata per il mio futuro tanti anni prima.

Adesso eravamo sole, nel bar. Senza che me ne fossi accorta, le due vecchiette se n'erano andate.

– Ho voglia di una sigaretta, – disse bruscamente.

Uscimmo a fumare. Le offrii una delle mie e lei disse che no, grazie, preferiva arrotolarsi le sue; lo fece con movimenti essenziali e consapevoli, una parte integrante del piacere. Aspirava la sigaretta nel modo tipico dei fumatori abituali e rassegnati: con metodo ed energia. Piú o meno come me.

– Mi dica di quando ha conosciuto il professore.

– Cercavano una persona che si occupasse della casa; una via di mezzo fra governante, donna di servizio e segretaria per piccole faccende burocratiche. Io avevo già lavorato in altre famiglie con le stesse mansioni. Avevo buone referenze, mi presero.

– Sa per quale motivo il professore abbia divorziato dalla prima moglie?

– Ho idea che il matrimonio non funzionasse da tempo. Hanno aspettato che la figlia andasse via di casa per frequentare l'università. Qualche mese dopo la moglie si trasferí in un altro appartamento che lui le aveva intestato.

– L'ha piú vista?

– No.

– Invece, passando alla seconda moglie: quanto tempo ha lavorato ancora per lei dopo la morte di Leonardi?

– Poco. Ho aiutato a sistemare un po' di questioni pratiche e sono andata via.

– La decisione è stata sua oppure...

– Diciamo che è stata una decisione consensuale.

– Che opinione si è formata di lei?

– Io facevo il mio lavoro, buongiorno e buonasera, non c'è mai stata confidenza. Le conversazioni piú lunghe che abbiamo avuto sono avvenute dopo la morte del marito, sempre per questioni pratiche. Non l'ho mai davvero conosciuta, non mi sento di esprimere un'opinione.

– Se qualcuno che non sa nulla di questa vicenda e dei suoi protagonisti le chiedesse di descriverla, cosa direbbe?

– Direi che è una gran bella ragazza; anche se forse, ormai, è piú appropriato: bella donna. Non voglio apparire spiacevole, ma certamente il professore non l'aveva sposata per le sue doti intellettuali. E mi sembra improbabile che lei lo avesse sposato per amore. Oltre a questo, sul serio non sono in grado di entrare in dettagli o di descrivere la sua personalità. Ripeto: non l'ho mai davvero conosciuta.

– Sa che il professore voleva cambiare testamento e includervi anche un lascito per lei?

Fumavamo guardando avanti entrambe. Elena si girò verso di me con un'espressione di autentico stupore, senza dire nulla.

– Non lo sapeva?

– No...

– Sembra turbata.

– Turbata? Non so, sorpresa di sicuro. Ne è certa? Come lo sa?

Per qualche istante mi domandai se potessi dirle la verità. Decisi che potevo, e forse dovevo.

– Qualche settimana prima di morire aveva manifestato al notaio questa intenzione. Non ha fatto in tempo.

Distolse lo sguardo. Annuí ripetutamente, come stesse dialogando con un'entità invisibile. Passò forse un minuto.

– Un pezzetto di eredità mi avrebbe fatto comodo. Ma che io non sia fortunata mi pare abbastanza chiaro.

– Perché ha detto di essere sorpresa? Le sembra strano che il professore avesse maturato questo proposito?

– È solo che non mi aspettavo di apprenderlo adesso,

da lei. Ma se ci rifletto non è poi cosí strano. In qualche modo credo mi fosse affezionato. Come ci si affeziona a un animale domestico. In ogni caso gli sono grata. Sa che mi regalava i libri?

– I libri?

– Sí. Aveva un conto aperto alla libreria Hoepli. Quando scoprí che mi piaceva leggere – è la cosa che mi piace piú di tutte – mi disse che se desideravo un libro potevo andare in libreria, prenderlo e farlo mettere sul suo conto. Ne ho approfittato con moderazione, ma era una sensazione bellissima entrare in libreria e sapere di poter prendere quello che volevo. Quando è finita sono tornata al prestito in biblioteca. Ogni tanto ne compro qualcuno usato. Molto di rado uno nuovo. Mai alla Hoepli.

– Non bisogna tornare nei posti in cui si è stati felici.

– Appunto.

– Sa per caso se il professore avesse a che fare con la massoneria?

– Era massone, sí.

– Come lo sa?

– L'ho sempre dato per scontato. Per via di cose sentite in casa sin dai tempi in cui viveva con la prima moglie.

Si arrotolò un'altra sigaretta e l'accese.

– Ma questo che c'entra con la sua morte? – mi chiese.

– Niente.

– Però lei sta indagando. Pensa che non sia morto per cause naturali?

– È un'ipotesi. Molto improbabile, da tutto quello che ho saputo finora, incluso quanto mi ha detto lei. Ma sí, sto facendo qualche verifica.

Diede due colpi di tosse, dai bronchi. Fuori era freddo, umido, e stare lí ferme non era un'ottima idea.

– Anch'io avrei qualche sospetto sulla moglie, al posto

di Marina. Soprattutto sapendo che lui voleva cambiare il testamento.

– Quindi secondo lei c'è qualche elemento per dubitare che si tratti di morte naturale?

– Io non ho nessun elemento. Però capisco il ragionamento della figlia: chi aveva interesse a che il professore morisse?

– Lei ha detto che non c'era nulla di strano, quella mattina.

– È cosí. O almeno io non ho notato niente.

– Nemmeno il dottore.

– Non so. Probabilmente tutto è come sembra. Comunque, se fossi la figlia, il dubbio mi resterebbe, non mi stupisce che l'abbia assunta per indagare. Al suo posto forse avrei fatto la stessa cosa.

Arrivò il momento di salutarci.

– Se dovesse venirle in mente qualche altro dettaglio, anche piccolo, mi chiami, per piacere. Il mio numero ce l'ha.

Annuí, poi parve sul punto di aggiungere qualcosa, ma non lo fece. Ci stringemmo la mano e si dileguò nel freddo, nell'oscurità umida.

Cinque anni prima

Un paio di giorni dopo l'appostamento del martedí venne a trovarmi l'ispettore Capone. Per prima cosa precisò di essere lí avendo informato il proprio dirigente. Sarebbe venuto anche lui, ma quella mattina Calvino aveva un impegno con il questore.

– Andiamo a prendere un caffè, dottoressa?

La sua espressione diceva che non era il caffè a interessarlo, ma la possibilità di parlare tranquilli, senza il rischio che la conversazione fosse intercettata in un modo o nell'altro. A volte si tratta di paranoia – malattia professionale di molti investigatori bravi – altre volte di sana cautela.

– Avevo proprio voglia di un caffè, in effetti, – dissi prendendo il giubbotto e il pacchetto delle sigarette.

Ci avviammo verso le scale.

– Ho fatto qualche verifica informale per identificare l'autore – intendo il vero autore – dell'esposto.

– Con che risultati?

Si guardò attorno. Non c'era nessuno vicino a noi.

– Come si ricorda l'esposto è arrivato per mail. Per fortuna il gestore di quel servizio di posta elettronica è italiano, con altri Paesi sarebbe molto piú complicato, se non impossibile. Ho parlato con un amico che lavora nella società e si occupa dei rapporti con gli uffici di polizia giudiziaria. È uno collaborativo; spesso, nei casi di urgenza, ci consegna i dati anche prima di ricevere il provvedimento del magistrato.

Si guardò di nuovo intorno e aggiunse: – A volte ci dà i dati anche *senza* il provvedimento del magistrato.

– E cosa è venuto fuori?

– In primo luogo che l'indirizzo e-mail è stato creato solo qualche giorno prima dell'invio dell'esposto; l'account non è servito a nient'altro. Poi siamo risaliti all'Ip del computer dal quale è stata fatta l'attivazione.

– Era di un internet caffè?

– Eh sí, c'era da aspettarselo.

Nel frattempo, eravamo arrivati davanti al bar del Palazzo di Giustizia che, come al solito, era affollatissimo.

– Usciamo, meglio, – dissi voltando le spalle all'assembramento di avvocati, magistrati, impiegati, imputati e giornalisti. Poi chiesi: – Non capisco, però, come pensa di identificare l'autore dell'esposto.

Capone aveva un lieve tic, che si manifestava soprattutto quando un argomento investigativo diventava interessante. Arricciava leggermente le narici come per fiutare un odore nell'aria.

– Quel caffè è in zona via Padova ed è frequentato quasi esclusivamente da extracomunitari. Lo gestiscono due ragazzi peruviani. Ho parlato con uno di loro e gli ho chiesto se nelle settimane precedenti avesse notato qualche cliente diverso da quelli abituali.

– E lui lo aveva notato.

– Esatto. Un signore sulla sessantina in giacca e cravatta.

– Be', allora è facile... a Milano non ce ne saranno piú di trecentomila di signori in giacca e cravatta.

– Sí, ma non tutti hanno dimenticato la cartellina di uno studio professionale in quell'internet point.

– Come sarebbe a dire?

– Il tizio ha lasciato nel negozio una carpetta di quelle

che si usano negli studi degli avvocati, dei commercialisti o degli architetti, come in questo caso.

– C'era qualcosa in questa carpetta?

– Un giornale e qualche foglio bianco. Ma sulla copertina c'è l'intestazione dello studio. L'uomo non è tornato a riprenderla e i ragazzi peruviani, per fortuna, non l'hanno buttata. Me l'hanno consegnata e io, come si dice, per non saper né leggere né scrivere ho cercato su Google il nome del titolare dello studio. Sono venute fuori diverse foto, sembra che sia un architetto piuttosto importante, anche titolare di una grossa impresa di costruzioni. Ho stampato alcune di queste foto e le ho portate ai peruviani.

– E loro lo hanno riconosciuto.

– Lo hanno riconosciuto senza ombra di dubbio.

Entrammo in un bar a pochi passi dal Palazzo di Giustizia e prendemmo il caffè sospendendo la conversazione. Quando fummo di nuovo in strada mi accesi una sigaretta.

– Fuma ancora, dottoressa? Non è una cosa sana.

– Faccio un sacco di cose poco sane. Lei ha smesso?

– Sí, mi ha costretto mia figlia. Ci pensavo da tempo, forse avevo bisogno di una piccola spinta. Adesso sento di nuovo gli odori.

Mi dissi che io gli odori li sentivo (e alcuni mi piacevano molto) nonostante il fumo, e che comunque non c'era nessuno che mi desse una piccola spinta a smettere.

– Come mai questo architetto non è andato a recuperare la sua cartellina?

– Probabilmente non si è nemmeno reso conto di averla persa. O di averla persa lí. Come le ho detto, all'interno c'erano solo un quotidiano e un blocchetto di fogli bianchi. Ho controllato il giornale e non ci sono annotazioni, appunti o articoli evidenziati. A parte l'intestazione con il nome del tizio, si tratta di materiale insignificante. Non era il portafogli o il cellulare o una cartella piena di documenti. Sulla prima pagina del blocco si intravvedono dei solchi di penna: evidentemente aveva scritto sul foglio precedente. Se lo ritiene necessario possiamo provare a leggere le parole con la luce radente.

– Però è strano, usa tante cautele per non essere individuato e poi in pratica lascia una firma.

– Una mia amica psicologa direbbe che, in maniera inconscia, *voleva* essere individuato, per questo ha dimenticato la cartellina. Non so se questa ipotesi abbia senso, non sono un esperto, però tanti anni di servizio mi hanno insegnato che atteggiamenti simili sono piú frequenti di quanto si creda. Spesso chi commette un reato non è che desideri proprio essere preso – talvolta anche questo – ma individuato sí. In questo caso non si tratta di un reato, è vero, ma il concetto è lo stesso: faccio qualcosa per cui razionalmente non voglio essere scoperto e di cui non voglio pagare le conseguenze, eppure nel profondo dell'inconscio spero che ciò accada. In molte azioni criminali si nasconde una componente esibizionistica. È come per i bambini, che fanno cose proibite per attirare l'attenzione dei genitori.

Notò la mia espressione perplessa ma anche ammirata, e si lasciò andare a una specie di sogghigno.

– Non racconti ai miei colleghi che faccio certi discorsi. Nel nostro ambiente passi come minimo per uno strano, se gira voce che fai ragionamenti del genere... Non che abbia ancora tutta questa carriera da fare...

– Terrò la bocca chiusa, non si preoccupi, – dissi accendendo un'altra sigaretta con il mozzicone della precedente e ignorando il suo sguardo di disapprovazione.

Chissà se anche in molte delle mie cazzate si nascondeva una componente esibizionistica. Ero ancora la bambina che cercava di fare arrabbiare i genitori perché si sentiva trascurata? Ci riflettei su qualche istante. Poi, come di regola, mi innervosii per ragioni molteplici e contraddittorie. Mi infastidiva la possibilità (molto concreta) che l'interpretazione fosse corretta e mi riguardasse; mi infastidiva indulgere a queste considerazioni; mi infastidiva essere una bambina impaurita e triste. Fanculo a tutto, pensai mentre aspiravo con violenza il fumo acre della Camel gialla.

– Allora, facciamo il punto. Sappiamo che questo architetto è andato in un internet caffè quando si suppone che sia munito di connessione in casa, in ufficio e sul cellulare. Dunque è ipotizzabile che, lasciando da parte le riflessioni psicanalitiche, sia andato lí a fare qualcosa per cui non voleva essere rintracciato. Però non possiamo affermare con certezza che sia stato lui a mandarci l'esposto. Magari usa un computer non suo per guardare i porno, per molestare una ex, per minacciare un collega o chissà che altro.

– È iscritto alla massoneria.

– Prego?

– L'architetto in questione appartiene all'obbedienza massonica della Gran Loggia d'Italia degli antichi liberi accettati muratori, – disse Capone con tono leggermente didascalico e con un filo di compiacimento.

– Questo come lo sa?

– Le liste degli iscritti alla massoneria – almeno alle diverse logge ufficiali – sono reperibili in rete.

– È esperto di massoneria o lo è diventato per questa occasione? – fu tutto quello che mi venne da replicare. L'ispettore era bravo, lo sapevo già. Ma lo stesso rimasi stupita di quanto fosse riuscito a scoprire in un paio di giorni.

– Ho cercato un po' in rete e ho imparato qualcosa. Lei mi conosce, sono curioso.

Dicono che in qualsiasi lavoro creativo (e l'investigazione lo è, o dovrebbe esserlo) la bravura non stia tanto nel trovare le riposte giuste, quanto nel concepire le *domande* giuste. Quello che aveva fatto Capone. Può essere che questo tizio appartenga alla massoneria? Se la risposta fosse affermativa, sarebbe piú facile considerarlo l'autore dell'esposto.

– Certo, se è iscritto alla massoneria è altamente probabile che sia il nostro uomo. O, detta meglio, – precisai schiacciando il mozzicone nel posacenere davanti al bar, – è altamente improbabile che non sia lui.

– Chiediamoglielo e togliamoci il pensiero, – concluse Capone.

– Giusto, chiediamoglielo e togliamoci il pensiero.

– Vuole che le formalizzi in un'annotazione le cose che le ho detto?

– Per ora no. Ascoltiamo cosa ci dice lui, come si comporta. Nell'esposto si parla in modo generico di un gruppo di malfattori che agirebbero come la P2, che avrebbero riprodotto tangentopoli eccetera. Ma non c'è nessuna specifica notizia di reato, a parte, in astratto, la violazione della legge Anselmi. Se lo mettiamo alle strette, lasciando in atti tutta la procedura clandestina che ha seguito per mandarci l'esposto, può essere che il tizio si chiuda temendo ritorsioni o di passare per anonimista, per corvo. Dobbiamo cercare di convincerlo a rivelarci di piú: non è una buona idea spingerlo in un angolo. Non subito, perlomeno.

– Sono d'accordo.

– Restiamo intesi cosí. Domani passate da lui in studio. Gli dite che deve essere sentito dal magistrato e che, se desidera, potete portarlo con la vostra macchina; questa fatela apparire come una gentilezza. Però la convocazione deve essere a non piú di un'ora dal momento in cui gliela comunicate, in modo che trovi comodo – non un'imposizione o un accompagnamento coattivo – venire con voi.

Ci parliamo, vediamo cosa salta fuori e decidiamo come procedere.

– Va bene. Per che ora vuole che lo convochiamo?

– Domani ho udienza. Per non correre rischi, nel caso qualche processo vada per le lunghe, facciamo alle diciannove, nei vostri uffici.

– D'accordo. Le mando una macchina in procura verso le diciotto e trenta.

9.

Il medico rispose dopo due squilli e la cosa mi parve un po' strana, a meno che Marina non gli avesse dato anche il mio numero e lui lo avesse memorizzato. Aveva una voce nasale, con una sfumatura di rassegnazione e qualcos'altro che non riuscii a identificare.

– Buongiorno, mi chiamo Penelope Spada. Credo che Marina Leonardi le abbia preannunciato la mia chiamata.

– Buongiorno, sí. Mi ha detto che ha bisogno di farmi qualche domanda a proposito del decesso di suo padre.

– Qualche domanda, sí.

– Credo di non avere molto di interessante da dirle, ma prego.

– Se non le dispiace, vorrei incontrarla. Posso raggiungerla dove preferisce, all'ora che preferisce.

Dopo un attimo di pausa disse va bene, potevo raggiungerlo in studio alle quattordici, quando finiva di visitare.

Andai ad allenarmi ai giardini. Tornai infreddolita e mi feci una doccia calda. Quando capí che stavo per uscire di nuovo, Olivia prese a scodinzolare sperando che la portassi con me. Le dissi che purtroppo doveva aspettarmi a casa, lei rispose con uno sbadiglio di protesta e disappunto. Salí sulla brandina e si accucciò, guardando ostentatamente in direzione opposta alla mia.

Lo studio di Mario Loporto era in via Monti, nei paraggi della Triennale. Di regola avrei camminato, ma stava ricominciando a piovere e faceva un lurido freddo (avrebbe piovuto quasi sempre, in quei giorni, sempre con lo stesso lurido freddo). Cosí andai a prendere la metro linea gialla dalla mia stazione di Crocetta fino al Duomo, dove cambiai per proseguire con la rossa fino a Cadorna. A quel punto mi restava un pezzo di strada a piedi. Tirai su il cappuccio, aprii l'ombrello a basso costo che, contro ogni legge della fisica e dell'economia, mi durava da oltre due anni e partii. L'acqua cadeva senza pietà e quando arrivai avevo la testa asciutta e i jeans fradici dal ginocchio in giú.

Loporto era un signore alto, magro e dall'aspetto austero. Il viso era scavato, come se avesse fatto una dieta esagerando un po'. Mi ricevette nell'ambulatorio, con il camice indosso.

– Non le nascondo che la sua visita mi stupisce. Non capisco perché, a distanza di quasi due anni, qualcuno si interessi della morte del povero Vittorio.

– Per una serie di ragioni, – dissi, quasi scusandomi per la bizzarria dell'indagine in cui ero coinvolta, – Marina Leonardi non è convinta che il padre sia deceduto per cause naturali.

– Ah, ancora questo, – replicò Loporto con un evidente moto di fastidio.

– Quindi ne ha già parlato con lei?

– Qualche tempo fa mi ha accennato questa sua strana idea. Anzi, diciamo pure *assurda* idea.

– Sono abbastanza d'accordo con lei. Ho accettato di fare qualche controllo anche solo per confermare quello che già sembra evidente e perché la signora Leonardi possa mettersi l'anima in pace.

– Non so in che modo potrei aiutarla, – disse spostandosi sulla sedia come per cercare una posizione piú comoda.

– Mi parli di quella mattina.

– Non c'è granché da raccontare. Mi chiamò la signora Elena e mi disse di avere trovato... insomma, di essere entrata in casa e di averlo trovato morto. Era molto agitata e naturalmente anch'io rimasi sconvolto dalla notizia. Le domandai se fosse sicura della morte, volevo accertarmi che non fosse necessario chiamare un'ambulanza.

– Ed Elena?

– Rispose che era sicura. Oltre al fatto che non si muoveva e che aveva provato a scuoterlo senza nessun esito, mi disse del colorito. Non ricordo che espressione abbia usato, ma il concetto era: è il colore di una persona morta.

– È solo un dettaglio, ma Elena sostiene di averle telefonato, di non aver ricevuto risposta e che lei l'ha richiamata qualche minuto dopo.

– È possibile, sí. Non mi ricordo, ma può essere. Ha importanza?

Nessuna. O forse sí?

– Nessuna importanza, ha ragione. È solo una vecchia abitudine, mettere in ordine le cose.

– Adesso che ci penso, sí. Stavo visitando qui in ambulatorio e non risposi alla telefonata. Richiamai dopo un po'.

– Sapeva che era stata Elena a chiamarla?

– Sí, avevo memorizzato il numero. Forse perché qualche volta l'ho visitata, in via amichevole.

– Quanto tempo impiegò ad arrivare a casa Leonardi?

– Presi un taxi, non ci volle molto.

– Può descrivermi la scena? Voglio dire: la camera da letto, dov'era il corpo...

Fece spallucce.

– Non c'è molto da descrivere, nulla di rilevante, nulla di fuori posto. Vittorio era disteso sul letto con la camicia, i pantaloni, senza scarpe.

– Aveva le calze?

– Credo di sí.
– Aveva la cravatta?
– Non ricordo. No, forse no a pensarci bene.
– Qual è stata la causa della morte secondo lei?
– Un collasso cardiocircolatorio. Insomma, un infarto.
Mi accorsi di avere trattenuto il fiato per un numero imprecisato di secondi prima di rivolgergli la domanda successiva. Collasso cardiocircolatorio, infarto: quelle parole giungevano, veloci e micidiali, direttamente dall'altra mia vita. Dalla fine dell'altra mia vita. Dovetti scuotere con forza la testa per uscire da quell'apnea del respiro e della coscienza.
– Dopo aver constatato il decesso pensò di chiamare i carabinieri o la polizia?
– No, non ce n'era motivo.
Cos'altro potevo chiedergli? Anche ammessa l'improbabilissima ipotesi che in quella stanza ci fosse stato qualcosa di fuori posto, lui non se n'era accorto.
– Dov'erano le scarpe?
– Ai piedi del letto, immagino.
– Ma lei non le ha viste.
– C'era un mio vecchio amico morto su quel letto, non ho fatto un sopralluogo accurato della camera –. Il tono, adesso, era di esasperazione.
Alzai le mani mostrando i palmi. Venivo in pace. Erano domande che dovevo fare, parte della procedura.
– Cosa è successo secondo lei?
– Si è sentito male, è andato a stendersi sul letto e ci è rimasto.
– Perché non ha chiesto aiuto? Perché non ha chiamato il pronto soccorso, o lei o un altro collega?
– I medici a volte tendono a ignorare i propri sintomi, soprattutto per cose gravi. Ci fidiamo della medicina ma,

forse, non ci fidiamo troppo dei colleghi. Probabilmente quando ha capito cosa stava succedendo era troppo tardi.

– Ha notato se il cellulare fosse vicino al corpo? Sul letto, per terra?

– No. Non vorrei essere scortese, ma le ripeto: ero davanti al cadavere di un mio vecchio amico morto all'improvviso. Non mi sono preoccupato dei suoi effetti personali.

– Certo, ha ragione. Cosa fece dopo aver constatato il decesso?

– Chiamai la moglie. Le dissi che era successa una disgrazia, che Vittorio aveva avuto un infarto.

– E lei?

– Mi chiese se fosse ricoverato. Io le risposi che purtroppo non c'era stato modo di aiutarlo.

– Come reagí?

– Rimase in silenzio per alcuni secondi, poi disse che ci avrebbe impiegato qualche ora per rientrare a Milano, perché era in Toscana, dalle parti di Pisa o forse Siena. Mi chiese se nel frattempo potevo chiamare un'agenzia di pompe funebri.

– E lei la chiamò?

– Sí, certo. Non c'era nessun altro che potesse occuparsene. Non mi sembrava giusto lasciare Elena da sola.

– Quando arrivò la moglie?

– Nel primo pomeriggio.

– Cosa fece o cosa disse quando vide il marito morto?

Loporto ci pensò su.

– Aveva un'espressione dispiaciuta, prendeva atto di una fatalità, però non sembrava profondamente addolorata o addirittura disperata per una perdita personale. Ma può essere che io sia prevenuto, in qualche modo.

– In che senso?

Loporto si schiarí la voce, serrò per un istante le labbra.

– Premetto che non mi piace dare giudizi e soprattutto giudizi morali.

Di solito chi dice cosí va pazzo per dare ogni tipo di giudizio, soprattutto morale.

– Non ne dubito. Fatta questa premessa?

– C'erano piú di trent'anni di differenza fra i due. Lui era un uomo ricco e potente, lei è una bella ragazza, appariscente, che aveva fatto un po' di televisione, la comparsa in un paio di film e qualche concorso di bellezza. È naturale pensare che si siano sposati per ragioni diverse dall'amore. Non credo ci sia da aggiungere altro.

– Leonardi non era innamorato di lei?

– Vittorio aveva grandi qualità, ma fra queste non c'era... un'emotività particolarmente funzionante. Qualcuno userebbe la parola anaffettivo, io preferisco dire che misurava ogni cosa in termini di potere. Per lui stare con una donna bella e tanto piú giovane era una dimostrazione del proprio status.

– Sa qualcosa del testamento?

– Quello che mi ha accennato la figlia.

– Non le è capitato di parlarne con lui?

– No, non era il genere di cose di cui parlasse.

– Sa chi abbia avvisato la prima moglie?

– Le ho telefonato io dopo essere andato via da casa Leonardi.

– Come l'ha presa?

– Che le devo dire? Quando ha saputo la notizia era turbata, certo, ma va detto che i rapporti fra i due erano pessimi.

– Per via del divorzio?

– Credo che lo detestasse da molto prima, in modo sordo. Era un uomo infedele e comportarsi cosí gli pareva naturale, un suo diritto. Pensava gli fosse tutto dovuto, ecco.

– Pagava il mantenimento?

– Suppongo di sí, ma non conosco i dettagli.

– E con la figlia?

– Dubito che ci fosse questo gran legame. Marina ha fatto l'università all'estero e non è piú tornata. Lui ne parlava poco, quasi nulla. Ricordo solo una volta, anni fa, disse qualcosa tipo: mia figlia mi disprezza, ma non disprezza i miei soldi. Deve aver continuato a mantenerla ben oltre la fine degli studi.

– Sa se Leonardi avesse qualcosa a che fare con la massoneria?

– Era massone, è noto. Perché me lo chiede?

– Non c'è un motivo specifico. Non c'è un motivo specifico per la maggior parte delle domande che si fanno in questi casi. Cosa sa della sua affiliazione alla massoneria?

– Poco. Una volta me ne parlò, ma dovette percepire che la questione non mi interessava, anzi che non mi piaceva proprio, e non ritornò sull'argomento.

– Perché non le piaceva?

– Quest'idea delle associazioni semisegrete, consorterie di mutuo soccorso, non mi ha mai affascinato. D'istinto, ma anche per ragioni politiche: per anni sono stato iscritto al Partito comunista, quando esisteva. Lo so che non è tutto loggia P2 e roba simile, ma provo una diffidenza profonda nei confronti di quel mondo, mi sembra cosí poco compatibile con la mia idea di democrazia.

Annuii, grosso modo era la mia stessa opinione.

Lui spostò un fermacarte sulla scrivania.

– Ha bisogno di chiedermi altro?

– Quando ha visto l'ultima volta Leonardi? In vita, intendo.

Ci pensò su a lungo.

– Deve essere stato un incontro casuale, per strada. Forse un mese, poco piú, prima del decesso.

– Come l'ha trovato, come le è sembrato in quell'occasione?

– Normale. Abbiamo scambiato due parole, ci siamo salutati ed è finita là.

– Non ricorda di cosa avete parlato?

– Di nulla in particolare. Non abbiamo davvero parlato, in realtà. Cose insignificanti. Chi poteva immaginare fosse l'ultima volta che ci vedevamo.

Gli argomenti su cui potevo porgli delle domande si andavano esaurendo e questo mi infastidiva, perché avevo la percezione di una qualche reticenza da parte sua: non capivo su cosa, non sapevo perché; e magari semplicemente mi sbagliavo.

– Mi accennava alle infedeltà di Leonardi durante il primo matrimonio. Le risulta che abbia continuato a comportarsi allo stesso modo anche con la seconda moglie?

– Non lo so. Di sicuro durante il primo matrimonio ne ha combinate di tutti i colori. Però parliamo di decenni di vita coniugale. Quando si è risposato era un uomo piú anziano e lei una donna giovane e bella. Detto questo, tutto è possibile: è sempre stato ossessionato dal bisogno di conquista.

– Da quanto tempo vi conoscevate?

– Da tutta la vita. Siamo stati compagni di scuola e di università. Studiavamo insieme, giocavamo a pallone nella stessa squadra, uscivamo la sera.

Parlammo ancora una decina di minuti e provai anche a tornare sul tema della massoneria. Pareva proprio non saperne niente, cosí lasciai perdere.

Mi accompagnò alla porta.

– Vittorio Leonardi è morto di morte naturale, mi creda. Non c'era nulla che suggerisse un'ipotesi diversa. Nessun segno di colluttazione, nulla che apparisse fuori posto, lui era disteso sul letto. Forse non se n'è nemmeno accorto. Una fine che potremmo augurarci tutti. Capisco il risentimento di Marina, la rabbia per il torto subito con il testamento, ma non è andando alla ricerca di un omicidio inesistente che vincerà la causa.

– Probabilmente ha ragione, – gli dissi salutandolo.

Molto probabilmente aveva ragione, pensai andandomene.

Fuori pioveva ancora, con lo stesso ritmo implacabile.

10.

Aveva senso parlare con la prima moglie? Con ogni probabilità non sarebbe servito a niente, ma neanche avrebbe fatto danno. Telefonai a Marina e le dissi che volevo sentire sua madre. Lei mi domandò perché e io replicai che non c'era un motivo preciso. Però mi interessava il suo punto di vista.

– Ma cosa potrebbe dirle mia madre su quella donna? Non l'ha mai conosciuta. E con mio padre non aveva alcun rapporto da anni.

– Lasciamolo dire a lei. Nel peggiore dei casi sarà stata una chiacchierata inutile.

– D'accordo. Le faccio sapere.

Mi richiamò dopo cinque minuti. Se volevo, potevo andare a casa di sua madre anche subito. Per un attimo ebbi la tentazione di darmi un tono, dicendo che subito non era possibile, dovevamo fissare un appuntamento compatibile con i miei altri impegni. Poi pensai che, appunto, era un modo di darmi un tono. Cioè, una debolezza, anche un po' patetica. Risposi che per me andava bene e mi feci dare l'indirizzo.

La madre di Marina, ex moglie del ricco e potente professor Vittorio Leonardi, abitava in un condominio anonimo dalle parti del Niguarda.

Rachele Esposito – si presentò porgendomi la mano – era piccola e con un principio di artrite deformante. Dava l'impressione di potersi frantumare e cercai di moderare la stretta. Entrammo in un salotto arredato con vecchi mobili in cui aleggiava odore di cera.

– Posso farle un caffè? – chiese come adempiendo un dovere, un'inevitabile liturgia domestica. Aveva un filo, remoto ed elegante, di accento napoletano. Accettai e dissi che, se voleva, potevamo parlare in cucina. Rispose che preferiva portare il caffè in salotto, la cucina era un po' in disordine.

Mentre aspettavo mi guardai attorno. Tutto sembrava al suo posto, perfettamente corrispondente a quel tipo di stanza. C'erano soprammobili, fotografie incorniciate, un paio di dipinti appesi ai muri, un vaso di vetro opaco, lungo e snello, azzurro intenso, che di certo era l'oggetto piú bello. E c'erano alcuni scaffali pieni di libri. Andai a guardarli da vicino e per prima cosa notai che non ce n'erano di nuovi o anche solo di recenti. Perlopiú risalivano agli anni Settanta e Ottanta. Un'enciclopedia medica, un paio di Garzantine, romanzi di Piero Chiara e di Alberto Bevilacqua, una prima edizione de *Il nome della rosa*, romanzoni americani di autori ormai dimenticati. Niente, in quella libreria, era stato pubblicato nel nuovo millennio. Quella biblioteca si era come congelata all'inizio degli anni Novanta, e farci caso era piuttosto inquietante.

La cosa piú notevole, comunque, era un ripiano occupato per intero da volumi della collana Medusa di Mondadori.

Anche mia nonna ne aveva molti a casa sua, chissà dove sono finiti. Quando morí ero una ragazzina e non mi interessava possedere vecchi libri. Adesso li vorrei tutti. Quelle copertine raffinate – cornice verde, fondo bianco con al centro una testa di gorgone, titolo e autore in nero – mi fecero viaggiare nel tempo e nello spazio. Mi ritrovai nel grande ambiente in cui nonna riceveva, studiava, ascoltava – a volte suonava – la musica, scriveva e mangiava. Era arrivata in anticipo su molte cose; fra queste c'era l'idea – il concetto, intendo – di una casa (quasi) senza stanze. Aveva buttato giú buona parte dei muri dopo aver cacciato il marito. Non voleva che l'appartamento fosse piú lo stesso in cui aveva vissuto con quell'uomo, il nonno che non ho mai conosciuto e di cui ho sentito parlare pochissimo, responsabile di qualcosa di imperdonabile che non mi verrà mai svelato perché non ho chiesto quando potevo e perché ora non c'è piú nessuno che possa rispondermi. Erano rimasti solo una camera da letto, un bagno e, appunto, quello spazio ampio ed eversivo; una specie di bazar che a me sembrava una porta aperta sul mondo e sull'avventura. Mai, in nessun altro luogo, ho avuto una percezione cosí intensa delle possibilità della vita, del futuro, del tempo. Una volta, mentre ero lí e lei stava cucinando – preparava delle sopraffine patate fritte che non ho piú assaggiato uguali – mise un disco di Louis Armstrong; da allora, nella mia memoria, questa scena ha per sempre come colonna sonora *We Have All the Time in the World*. Abbiamo tutto il tempo del mondo.

Già. Tutto.

In quella grande stanza c'erano divani e cuscini per terra, e un pianoforte, e oggetti misteriosi che venivano da chissà dove. E c'erano libri, che riempivano scaffali fatti su misura, di legno scuro, sobrio, ricco di venature. Tanti libri di ogni genere, in lingue diverse. Disposti in un disordine ordinato che era una caratteristica di nonna Penelope. E, appunto, c'erano i volumi della Medusa. Alcuni titoli mi sono rimasti incisi nella memoria, abbia letto o meno i romanzi. Fra questi *L'amante dell'Orsa Maggiore*. Mi piaceva moltissimo, mi suggeriva un senso di libertà notturna e cieli sconfinati, limpidi, pieni di stelle. A volte capita che un titolo sia cosí bello che temi di rovinarlo leggendo il libro.

Esaminai meglio la raccolta di Rachele. Di quelli che ricordavo nella biblioteca di nonna trovai: *Questo indomito cuore* di Pearl S. Buck, *Al Dio sconosciuto* di John Steinbeck, *Buio a mezzogiorno* di Arthur Koestler. C'era anche *Ogni passione spenta*, di Vita Sackville-West. Lo stavo sfogliando quando lei rientrò nel salotto. Reggeva un vassoio d'argento con zuccheriera e due sottili tazzine di porcellana dalla forma antiquata.

– Stavo guardando i suoi libri, – dissi mostrando il volume.

– Conosce *Ogni passione spenta*?

– L'ho letto molti anni fa. Non ricordo quasi nulla, se non che mi piacque.

Poggiò il vassoio sul tavolo con un gesto lievemente affettato.

– È inusuale per una donna della sua età. È uno dei miei romanzi preferiti. L'ho riletto l'anno scorso e credo di essermi molto immedesimata.

Annuii e rimisi a posto il libro.

– Ha una collezione preziosa.

– Erano di mio padre. Fra le pochissime cose che mi sono rimaste. Mi dànno un'idea di radicamento in qualcosa.

Fu sul punto di aggiungere altro, ma dovette ripensarci.

– Zucchero? – chiese invece.

Ebbi un'impressione di totale irrealtà, come se fossimo in un sogno. Durò un attimo. Risposi che lo prendevo amaro. Lei invece mise un cucchiaino abbondante e mi parve un gesto che veniva da un'altra epoca. Quando non ci si preoccupava di zucchero, sale e grassi e le cose erano – sembravano? – piú facili. Un'altra banalità, mi dissi, archiviando la riflessione.

Bevemmo il caffè in silenzio.

– Mia figlia mi ha detto che lei è un'investigatrice privata.

Non mi parve necessario spiegare che tipo di investigatrice fossi e, insomma, entrare nei particolari. Confermai con un cenno del capo, poi le chiesi cosa pensasse dell'idea di indagare sulla morte del suo ex marito.

– Io capisco lo stato d'animo di mia figlia. O almeno lo capisco in astratto, perché da tempo credo di non conoscerla piú. Ammesso che l'abbia mai conosciuta. È andata via che aveva diciannove anni, ha sempre vissuto all'estero e in questi anni l'ho vista poche volte. Comunque, comprendo la sua rabbia per il testamento del padre e la sua ostilità verso quella donna. Ma se vuole la mia opinione, l'ipotesi che abbia ucciso Vittorio per impedirgli di modificare il testamento mi sembra davvero assurda. Che tipo di verifiche può fare, lei? Un medico lo ha esaminato poco dopo la morte e non ha riscontrato nulla di sospetto. E come lo avrebbe ucciso, poi? Era fuori Milano, avrebbe dovuto servirsi di un sicario. È tutto cosí... inverosimile.

– Sua figlia ritiene che sia andata via appunto per precostituirsi un alibi.

Rachele scosse la testa, come se quella fosse una sciocchezza eccessiva, troppo grossa per meritare una risposta, anche solo un commento.

– Ha voglia di raccontarmi qualcosa del suo ex marito? Cosí, per chiarirmi un po' le idee.

Scosse di nuovo la testa, nello stesso modo di prima.

– Non vedo a cosa possa servire, ma ho promesso a Marina che avrei risposto alle sue domande. Vittorio Leonardi era un uomo incapace di provare affetto e tantomeno amore. Che Dio mi perdoni, è una cosa brutta da dire in generale di chiunque e di un morto in particolare. Figuriamoci di un morto che è stato tuo marito, un uomo con cui hai vissuto tanti anni. Anche se lui non ha condiviso nemmeno un minuto con te, nel senso vero del termine. Naturalmente lei penserà che queste cose dipendano dal rancore di una donna tradita, offesa e ormai vecchia. E io non nego che il rancore ci sia stato e che talvolta riaffiori. Poi potrebbe chiedermi: ti sei accorta di com'era solo quando ti ha lasciata? Sarebbe una giusta domanda e la risposta sarebbe: no. Ma molti di noi sono vigliacchi. Mentiamo a noi stessi piuttosto che affrontare le cose. Io ho preferito chiudere gli occhi, fare la moglie dell'uomo di successo. Andare con lui alle cene importanti, agli eventi, alle prime della Scala.

Si interruppe bruscamente, stupita lei stessa di quello sfogo.

– Lei lavorava, signora Rachele?

– Insegnavo. Italiano e latino al liceo. Mi piaceva, mi piacevano i ragazzi, insegnare è un lavoro da donne e uomini liberi. Quando nacque Marina lui mi disse che non aveva senso che continuassi, per uno stipendio da fame, poi. Ricordo benissimo – che strano, o forse non è affatto strano – dove eravamo quando ne parlammo.

Era la seconda volta in pochi giorni che sentivo raccontare una storia del genere. Donna che lavora, uomo che le dice di lasciar perdere, provvederà lui a mantenerla. Finale quasi sempre uguale, e noto.

– Lei?

Atteggiò il viso a una espressione di finta noncuranza; gli occhi erano pieni di una tristezza irreparabile.

– Accettai. Ho sempre accettato tutto. Colpa mia, non sua. Certo, lo stipendio era modesto. Non ero capace di dire a me stessa che rinunciare a quel lavoro era solo l'inizio di uno smottamento che sarebbe andato avanti a lungo, in forme diverse.

– A cosa si riferisce?

– Credo lo immagini. Agli svariati tradimenti, per esempio. Ho finto ostinatamente di non vederli per non dovermi confrontare con la realtà e con le scelte che mi avrebbe imposto. Lui mi ha comprata, come ha fatto in molti altri casi con molte altre persone nella sua vita. Fra i suoi difetti non c'era l'avarizia. Anzi era generoso: probabilmente l'ennesimo modo di esercitare il suo potere sul mondo, per *ostentare* quel potere. Però, quale che fosse la motivazione, era generoso. Anche quando ci siamo lasciati non ha fatto questioni di soldi. Nessuna. Durante la separazione mi dava quello che avevo chiesto e al momento del divorzio mi ha liquidato versandomi una grossa somma.

– Cioè non le pagava il mantenimento?

– No. Fui io, tramite il mio avvocato, a chiedere questa soluzione. Lui non fece obiezioni e non trattò sulle cifre.

– Che differenza di età c'era fra voi?

– Avevo due anni piú di lui. Raramente è una buona idea sposare un uomo piú giovane. Ma forse questo è un luogo comune, e non c'entra niente con il nostro discorso: avrebbe fatto tutto quello che ha fatto anche se ne avessi avuti dieci di meno.

Aveva settantatre anni, precisò. Li dimostrava tutti nel fisico affaticato, ma il viso conservava la grazia della bella ragazza che probabilmente era stata. Aveva labbra ben disegnate, zigomi alti ancora visibili e occhi verdi ancora luminosi. Mi chiesi che aspetto avrei avuto io a quell'età, se ci fossi arrivata. Per qualche istante persi il contatto con quello che stava dicendo e fui attraversata da ondate di paura purissima.

Lei continuò.

– Vittorio Leonardi possedeva in sommo grado una caratteristica di tanti chirurghi bravi: una specie di senso – un delirio? – di onnipotenza. Si sentiva Dio, arbitro della vita e della morte. Lei non immagina come parlava dei suoi pazienti. Non erano persone, solo corpi su cui esercitare una tecnica, cercando sempre di superarne i confini. Si vantava di eseguire interventi su pazienti anche oltre i limiti del loro consenso. Il cosiddetto consenso informato, che espressione vuota. Quando ho aperto e loro dormono sono io che decido, diceva. Se c'è qualcosa da tagliare, io la taglio.

È una questione giuridica sottile, che sfugge ai non addetti ai lavori, quella del consenso all'attività chirurgica. L'azione col bisturi, dal punto di vista materiale, non è diversa da un colpo di coltello. Ciò che la rende lecita è la necessità terapeutica unita al consenso dell'avente diritto, cioè del paziente. A parte i casi di pazienti incapaci di intendere o di volere oppure minori. E il consenso deve riguardare proprio lo specifico intervento programmato. Se, quando il paziente è sotto anestesia, il chirurgo procede a un intervento ulteriore e diverso commette il reato di lesioni personali, a meno che l'intervento non sia indispensabile per salvare la vita del paziente stesso. In una celebre vicenda processuale un famoso chirurgo fu accusato e poi condannato per omicidio preterintenzionale proprio per avere effettuato un intervento diverso da quello programmato senza che tale intervento ulteriore fosse richiesto da uno stato di necessità. La paziente, dopo giorni di agonia, era morta proprio per le conseguenze di quell'intervento privo di consenso deciso dal chirurgo in sala operatoria.

– E il dottor Loporto? Cosa mi dice di lui?

– Mario era un vecchio amico di Vittorio dai tempi della scuola. Hanno fatto l'università insieme. Quando Marina era piccola capitava che ci frequentassimo, anche con sua moglie e i bambini. Poi i rapporti si sono diradati fino a cessare del tutto. Perlomeno i rapporti fra le famiglie, loro due non so. Io l'ho rivisto al funerale dopo tanti anni.

– Fu lui a informarla del decesso.

– Sí.

– Ricorda cosa le disse?

– Non le parole precise. Ma in sostanza che Vittorio aveva avuto un infarto ed era morto. Lui, Mario intendo, era sul posto, l'aveva chiamato Elena. Non fu una telefonata lunga.

– A suo giudizio Loporto è un buon medico?

– Immagino di sí. Non ha avuto una grande carriera, ma credo sia un ottimo clinico. Anche Vittorio lo diceva, con un po' di condiscendenza. Se capisco la ragione di questa domanda, la risposta è: sí, mi fido della sua diagnosi. Se ci fosse stato qualche motivo, qualche indizio visibile per dubitare della morte naturale, se ne sarebbe accorto.

– Elena?

– Cosa vuole sapere?

– Nulla in particolare. Cerco di farmi un'opinione.

– Una donna intelligente e sfortunata. Conosce la sua storia?

– Mi ha raccontato qualcosa.

– Eravamo ancora sposati quando è stata assunta. Era affidabile, per bene, molto al di sopra del livello culturale di altre persone che fanno quel lavoro. Non saprei cosa aggiungere.

– Spero non la infastidisca se le chiedo della seconda moglie.

Fece un sorriso amaro.

– Non mi infastidisce. Non piú, ormai. Come il titolo del libro che aveva in mano poco fa: ogni passione è spenta. Però non ho molto da dirle.

– L'ha mai conosciuta?

– No. La prima e l'unica volta che l'ho vista è stato al funerale. In passato avrei detto che era una puttanella, adesso anche solo il suono della parola mi disturba. Forse perché allude all'idea di esprimere un giudizio morale, è una cosa che da tempo cerco di evitare come posso.

Loporto aveva espresso un concetto molto simile e le sue parole non mi erano suonate del tutto sincere. Nella frase di Rachele, invece, mi parve di percepire un senso doloroso di verità.

– Perché puttanella? Perché ha sposato un uomo per ragioni evidentemente diverse dall'amore? – continuò. – A parte i primissimi anni, anch'io sono rimasta con lui per pigrizia, vanità e convenienza. Dunque, che titolo avrei per giudicare questa donna? Certo, all'inizio io ero innamorata di lui. Faccio un po' fatica a immaginare che lo sia stata anche lei. Forse in un rapporto come il loro è piú facile intravvedere un calcolo sin dal primo momento. Ma non è questo il punto. Il punto è che, con altre modalità, io non sono stata poi cosí diversa da lei.

– È molto dura con sé stessa.

– No, non piú. Lo sono stata ed era necessario. Adesso osservo tutto questo con serenità. Anche con un po' di tristezza, ma temo sia inevitabile.

– Perché si innamorò di lui?

– Ho letto da qualche parte che la cosa che ci attrae per la prima volta verso qualcuno è spesso la stessa che alla fine ci allontana. Per quanto mi riguarda è vero. Mi attirò il fatto che fosse uno stronzo. Mi lusingava l'idea idiota che fosse uno stronzo con tutti e con tutte, tranne che con me. E mi ha allontanato da lui comprendere che era uno stronzo con tutti, con tutte e *anche* con me.

– Pure con il suo vecchio amico Loporto?

– Non in modo visibile. L'apparenza era quella di un rapporto cameratesco fra due vecchi compagni di scuola, col corredo di aneddoti raccontati all'infinito.

– E tolta l'apparenza?

– Per Vittorio Leonardi il potere e le gerarchie erano fondamentali. Il suo modo di vedere il mondo e gli altri consisteva nel distinguere costantemente fra chi era al di sotto di lui (la stragrande maggioranza), chi era al suo livello (pochi), chi era su un livello piú alto, nei rarissimi casi in cui riusciva ad ammettere una simile eventualità.

– E Loporto?

– Era collocato piuttosto in basso nella scala gerarchica da cui Vittorio Leonardi guardava il mondo e misurava le persone. Lo sapevano entrambi, anche se l'argomento non è mai venuto fuori. È rimasto sempre nascosto sotto la cenere, sotto quella patina di complicità, sotto quei rituali un po' penosi da vecchi amiconi.

– Non ha piú parlato con Loporto dopo quella telefonata?

– Abbiamo scambiato poche parole di circostanza al termine del funerale.

– Il suo ex marito era massone, vero?

– Sí. Si era affiliato giovanissimo, e credo che la sua carriera universitaria ne abbia tratto non poco beneficio.

– Sa dirmi qualcosa di piú? Non mi riferisco alla carriera universitaria, parlo della massoneria.

Fece un lungo sospiro.

– No, temo di no. A un certo punto ebbi l'impressione che qualcosa fosse mutato nel rapporto con la sua loggia, che avesse stabilito nuove relazioni. Ma era già un'epoca in cui ci rivolgevamo a stento la parola. Perché mi chiede della massoneria, cosa può avere a che fare con l'ipotesi di un omicidio?

– Nulla. Era per farmi un'idea.

Rimanemmo in silenzio. Come avevo previsto, da quel colloquio non era emerso niente di importante, mi dissi preparandomi ad andare via. Lei parve leggermi nel pensiero.

– Non le sono stata utile. Mi spiace.

Mi accompagnò alla porta e mi diede di nuovo la mano, guardandomi diritta negli occhi con i suoi occhi verdi.

– Mi è piaciuto parlare con lei.

– Anche a me.

– Mi perdoni la libertà, ma sembra una persona infelice.

– È vero, – risposi, quasi senza rendermene conto.

– Qualunque cosa le sia accaduta, non faccia l'errore che ho fatto io: non si affezioni alla sua infelicità. Ci sembra un contegno eroico, è solo una cosa stupida.

11.

La frase con cui Rachele Esposito mi aveva congedato non era di quelle di cui ti sbarazzi facilmente. Non posso dire che ci pensai, nel senso di riflettere sul suo significato, che peraltro era piuttosto evidente. Mi rimase nella testa come a volte ti rimangono, ossessivi, i ritornelli di certe canzoni molto orecchiabili.

Andai a letto con quella frase e con quella frase mi svegliai alle quattro del mattino. Provai a riaddormentarmi, ma fu subito chiaro che non ci sarei riuscita: uno sciame di pensieri come api impazzite si muoveva frenetico nella mia testa. Pensai di prendere delle altre gocce e mi dissi che sarebbe stato un errore, a quell'ora e con quel ronzio nel cervello. Cosí mi alzai, chiesi a Olivia se avesse voglia di fare due passi e lei accettò, piuttosto perplessa ma tollerante. Era abituata alle mie stranezze.

Fuori, inutile dirlo, faceva freddo, le strade erano bagnate e deserte, il cielo pieno di nuvole gonfie e tragiche. Una volante della polizia rallentò passandomi vicino e, senza voltarmi, sentii addosso gli occhi degli agenti. Si chiedevano cosa ci facessi in giro e se non fosse il caso di controllarmi. Dovettero decidere che ero quella che sembravo: una che soffre di insonnia e cerca di curarla nel modo piú sbagliato, andandosene in giro nell'umidità gelida, fra luci gialle e spettrali.

Alle quattro del mattino, di solito, si eseguono le misure cautelari, cioè si arresta la gente. È l'ora in cui è piú probabile trovare a casa gli indagati: difficile che non siano ancora tornati, difficile che siano già usciti. Ripensai a certe notti in questura o in caserma per seguire l'esecuzione delle misure cautelari nelle operazioni piú importanti. Una cosa che di regola i pubblici ministeri non fanno – giustamente si tengono alla larga dalla parte piú brutale della faccenda – e che assieme ad altre mi aveva dato la reputazione di uno sbirro piuttosto che di un magistrato.

Dopo aver camminato per una decina di minuti, dopo aver placato lo sciame impazzito, mi accesi una sigaretta e provai a pensare.

Tutto quello che avevo fatto fino a quel momento era stato inutile. Mi aveva dato un'idea un po' piú precisa del personaggio Vittorio Leonardi, ma com'era prevedibile non aveva fornito alcun elemento per sostenere l'ipotesi investigativa.

Fui assalita da una spiacevole inquietudine. Avevo preso i soldi di Marina dando per scontato che non ci fosse alcun omicidio e solo per ricominciare a indagare là dove mi ero fermata. Volevo la conferma che il disastro combinato con la mia ultima indagine ufficiale non dipendeva da una fantasia investigativa, ma prendeva spunto da una congettura plausibile su un fenomeno grave. Che se avevo distrutto la mia carriera e rovinato la mia vita era stato per qualcosa che esisteva nel mondo reale e non solo nella mia immaginazione sovraeccitata. Ma anche ammettendo che avessi ragione, il tema era ormai privo di qualsiasi rilevanza. A tacere di tutto il resto, perché Leonardi era morto.

Pensai di chiamare Marina per dirle che rinunciavo all'incarico e che le avrei restituito il denaro. Scartai quasi subito l'idea, non avevo voglia di mentirle e nemmeno di dirle la verità.

In presenza di un fatto delittuoso il ragionamento indiziario implica decifrare orme, segni e indizi per raffigurarsi, a ritroso, cosa – e chi – può averli generati. Implica costruire una storia plausibile che spieghi quelle tracce, per poi andare alla ricerca delle prove che la confermino al di là di ogni ragionevole dubbio.

La premessa di tutto, però, è appunto l'esistenza di un fatto delittuoso, che nel caso della morte di Leonardi, semplicemente, mancava.

Dovevo ragionare come fosse certo che Leonardi era stato ucciso; dovevo mettere in fila le possibili sequenze di eventi che avevano portato all'uccisione. Insomma, per provare a formulare qualche ipotesi dovevo eliminare l'elemento di disturbo costituito dalla mia convinzione che Leonardi fosse morto di infarto.

Abbandoniamo il rasoio di Occam e accettiamo l'ipotesi dell'omicidio. Alla luce della sostanziale inesistenza di tracce sensibili (a parte il cadavere) quali catene di eventi sono compatibili con questa ipotesi?

Prima possibilità: Lisa Sereni, la moglie, aveva messo del veleno in una bevanda o in un alimento che pensava lui avrebbe consumato. Magari Leonardi aveva l'abitudine di farsi un bicchierino al rientro a casa e lei ha versato qualcosa nella bottiglia? Dovetti forzarmi per non liquidare la congettura per quello che era, cioè un congegno narrativo da giallo di seconda categoria. Sarei stata disciplinata e di lí a qualche ora avrei telefonato a Elena per verificare questa ipotesi: il professore aveva l'abitudine di bere qualcosa la sera? C'erano bottiglie aperte, bicchieri in cucina o da qualche altra parte in casa, quella mattina? Le probabilità che Elena mi dicesse qualcosa di utile erano vicinissime allo zero, ma io avrei lo stesso agito col massimo scrupolo e non avrei escluso nulla.

Seconda possibilità: qualcuno – uomo o donna – era andato da lui quella sera e gli aveva somministrato una sostanza letale, su mandato della moglie. Questa linea mi sembrava un po' meno inverosimile della prima. Magari Leonardi faceva uso di cocaina; magari era andato a trovarlo una bella ragazza in combutta con la moglie, lo aveva spinto a esagerare, a lui era scoppiato il cuore e lei era scomparsa nel nulla (non prima di avere eliminato ogni traccia) pronta a incassare il pattuito dalla sua amica e mandante. In tale ipotesi l'assenza della moglie era insieme occasione e alibi. Anche questa – mi dissi, ormai in modalità conversazione interna – era una storia improbabile, però non del tutto assurda. Bisognava capire se Leonardi facesse uso di cocaina o altre sostanze, potevo provare a chiederlo a Loporto. Non ero troppo ottimista sull'esito del tentativo, ma, appunto, era un tentativo.

Poi naturalmente dovevo fare qualche ricerca sulla sospettata. Fino a quel momento – e solo in quel momento me ne resi conto – non ero nemmeno andata a vedere in rete che faccia avesse. Avrei dovuto ispezionare siti e piattaforme social alla ricerca di spunti, idee, contatti che suggerissero qualcosa. E avrei dovuto accertare come viveva, chi frequentava, chi era, al di là delle sommarie opinioni delle persone con cui avevo parlato.

L'orologio a led di una farmacia mi informò che erano passate le cinque. Era ancora buio pesto, ma qualche bar cominciava ad aprire. Ne scelsi uno a caso, triste, dove mi pareva di non essere mai stata. L'uomo dietro il bancone aveva occhiaie profonde e l'espressione sconfitta di chi da troppo tempo si alza troppo presto la mattina. Se lo stupí la presenza di una donna in giro con un cane a quell'ora, non lo diede a vedere. Ordinai un espresso doppio, divisi una brioche con Olivia e le domandai se avesse voglia di una corsetta; lei rispose di sí, ovvio. Cosí ce ne tornammo a casa al piccolo trotto.

12.

Mi preparai un altro caffè doppio e mi sedetti al computer per cercare di scoprire qualcosa su Lisa Sereni che andasse oltre il poco e l'ovvio che mi era stato riferito.

Cominciai da Instagram per vederla bene in faccia. Nella foto del profilo – era aperto, non era richiesta l'ammissione per i nuovi follower – c'era il viso di una bella ragazza dall'espressione seria. Sotto la foto si leggeva: «Lisa Sereni. Inquieta, attrice (almeno ci ho provato), in cerca». Pensai che in giro c'era decisamente di peggio e presi a esaminare le ultime foto pubblicate. Erano appena sopra le righe, ma senza eccessi. Lei in palestra, lei in cucina, lei a fare shopping, lei con amiche e calici di vino rosso. Niente di spinto e nemmeno di volgare. Colsi qualcosa di non banale nella sua fisionomia, almeno in alcune delle immagini. Qualcosa che mi sfuggiva ma che contraddiceva lo stereotipo cui mi ero ispirata per immaginarla. Forse un filo di malinconia, sentimento difficile da falsificare o occultare; forse altro.

Aveva poco piú di tremila follower: un numero non abbastanza basso per dire che erano solo amici e parenti, non abbastanza alto per affermare che Lisa Sereni era popolare su Instagram. La maggior parte erano maschi con facce da nerd che scrivevano frasi del tipo: sei bellissima, vorrei sposarti, sei la donna ideale, tanta roba, bella e brava. Niente di volgare o di spinto nemmeno in quei commenti.

Risalii nel tempo per dare uno sguardo all'attività che precedeva e seguiva la morte di Leonardi. Il giorno prima Lisa aveva pubblicato foto della spa – un posto piuttosto noto e costoso nella campagna senese – dove era andata apparentemente da sola. Ce n'era una anche della mattina in cui avrebbe poi ricevuto la telefonata di Loporto che la informava dell'accaduto.

Le pubblicazioni riprendevano quattro mesi dopo; perlopiú paesaggi romantici con citazioni di poesie. Per ritrovare un'immagine sexy soft – lei davanti allo specchio con un maglioncino attillato che lasciava poco all'immaginazione – bisognava andare a circa un anno dall'evento. Niente foto con fidanzati o con uomini in generale. Qualcosa al mare l'estate di quell'anno. Bel fisico, asciutta ma senza eccessi, pensai. Il seno era evidentemente rifatto, però con una certa sobrietà, senza protesi ipertrofiche da fumetti manga.

Non avendo trovato nulla di interessante su Instagram provai su Twitter, senza troppe speranze. Non mi sembrava tipo da Twitter: qualcuno ha detto che su quel social ci sono solo i politici e i giornalisti che vogliono sapere quello che dicono gli altri giornalisti senza leggere i loro giornali. Non c'era, come non era su TikTok. Esisteva invece un suo account su Facebook, ma di fatto lo aveva abbandonato oltre quattro anni prima, nel senso che da allora non c'era piú alcuna attività.

Passai a Google e scoprii che Lisa Sereni aveva lavorato come soubrette in programmi televisivi di tv locali, aveva avuto qualche particina (poco piú che da comparsa) in film di cui non avevo mai sentito parlare, aveva presentato eventi nelle piú varie fiere del Nordest, aveva fatto delle pubblicità, la piú significativa delle quali era, assieme ad altre ragazze, per una nota marca di biancheria intima.

Per il momento mi arresi. Chiusi il laptop dicendomi che, se fosse stato necessario, avrei fatto una ricerca piú approfondita, magari chiedendo aiuto a qualcuno piú bravo di me.

In attesa di un orario accettabile per telefonare a Elena e a Loporto sbrigai un po' di faccende domestiche. Arieggiai la casa, rifeci il letto, misi a posto la cucina e pulii il bagno. In generale la gente odia queste incombenze; per me, almeno a volte, sono una specie di pratica zen. Vengo del tutto assorbita dall'essenzialità dei gesti, faccio le cose con estrema attenzione e cura, sono consapevole del mio corpo in rapporto con gli oggetti del mondo e quando finisco, per qualche momento, mi sento quasi pacificata.

Arrivarono le nove e mandai un messaggio a entrambi. Buongiorno, ero Penelope Spada, avevo bisogno di un paio di chiarimenti, quando potevamo sentirci? Elena rispose dopo pochissimo, scrivendomi che per lei anche subito.

– Buongiorno Elena, avrei ancora alcune rapide domande, non ci vorrà molto. Probabilmente sono inutili, ma gliele faccio lo stesso cosí mi tolgo il pensiero.

– Prego, non ho fretta.

– Quella mattina ha per caso notato tracce del fatto che il professore avesse ricevuto qualcuno? Non so, tazzine di caffè, bicchieri, cicche di sigaretta?

– No, non c'era nulla. Tutto era come lo avevo lasciato il giorno prima. Non ho effettuato un sopralluogo, ma se ci fossero stati i segni di una visita – tazzine o bicchieri, sigarette era impossibile, il professore non permetteva a nessuno di fumare – certo li avrei notati e lo avrei fatto presente al dottor Loporto. Se vuole la mia opinione: il professore è rientrato e si è sentito male quasi subito – o forse già non si sentiva bene sulla via del ritorno – è andato a stendersi e non si è piú rialzato.

– È probabile. A questo proposito, come tornava a casa il professore la sera? Intendo: con che mezzo? Lo accompagnava qualcuno?

– A volte capitava, soprattutto anni prima, ma perlopiú tornava da solo con la sua auto. La parcheggiava in un garage lí vicino.

Stavo per chiederle se fosse andata a dare un'occhiata all'auto, ma mi trattenni. Era una domanda priva di senso, non stavo interrogando un ufficiale di polizia giudiziaria intervenuto sulla scena del crimine. Perché mai avrebbe dovuto guardare nell'auto?

– Per quanto le consta, il professore consumava bevande alcoliche? Vino, birra, liquori?

– A cena, in compagnia sí. Qualche volta invitavano degli ospiti, io mi trattenevo per aiutare la signora e c'era il vino a tavola. Poi in casa avevano un armadio bar con ogni tipo di liquori, ma non mi risulta che ne bevesse da solo.

Pensai se chiederle qualcosa sul possibile consumo di sostanze stupefacenti. Decisi di no, non so bene per quale motivo. Non riuscire a capirlo mi lasciò un filo di disagio, come se mi fosse sfuggito un dettaglio importante.

Quando chiusi la comunicazione con Elena trovai il messaggio di Loporto. Mi avrebbe telefonato lui nel giro di mezz'ora, potevo anticipargli di cosa volevo parlare? Risposi che volevo chiedergli qualche ulteriore informazione sulle abitudini di Leonardi e che poteva chiamarmi quando preferiva.

– Sono Loporto.

– Buongiorno dottore, grazie per la disponibilità.

– Cosa le occorre?

Preferii non girarci troppo attorno.

– Sa se Leonardi fosse un consumatore, anche saltuario, di sostanze stupefacenti?

Dall'altro capo della linea ci fu un lungo silenzio e io ebbi l'impressione – capita nelle indagini, a volte è fondata, altre volte no – di aver segnato un punto tanto improbabile quanto decisivo.

– Dottore, è lí?

– Sí, mi scusi. Molto tempo fa Vittorio mi raccontò di avere provato la cocaina. Una cosa che mi era completamente uscita di testa, sono trascorsi davvero parecchi anni. Perché mi fa questa domanda?

– Dopo quella volta, è piú tornato sull'argomento?

– No.

– Quali sono gli effetti di un'overdose di cocaina? – Conoscevo benissimo la risposta, ma volevo che fosse lui a darmela. E a darsela.

– L'ischemia e l'infarto miocardico acuto rappresentano le patologie piú frequentemente descritte per l'abuso da cocaina, – rispose, come leggendo da un testo medico.

– Sa se Leonardi fosse affetto da malattie cardiovascolari?

– Non mi risulta. Ma questo significa poco.

– Perché?

– Ne avrebbe parlato solo con il cardiologo e solo se fossero stati problemi seri. Rifiutava l'idea della debolezza, della malattia, della fragilità. Li rifiutava rispetto a sé, naturalmente.

– Uno dei tipici tratti del narcisismo.

– Sí.

– Lei ha detto che la causa piú probabile della morte di Leonardi è stata un infarto. Può essere stato provocato da un'overdose di cocaina?

– In via teorica, sí.

– Immagino sia inutile che io le chieda se, quella mattina, ha notato qualcosa che potesse far pensare a un consumo di stupefacenti?

Mi parve quasi di vederlo scuotere il capo.
– No, non c'era nulla.
– Se Leonardi avesse consumato cocaina prima di morire, un'eventuale autopsia avrebbe permesso di accertarlo?
Anche in questo caso conoscevo la risposta.
– Sí. Ma perché pensa che avesse consumato cocaina?
– Una congettura, giusto per non lasciare nulla di intentato. Un'ultima cosa: le risulta che Leonardi utilizzasse farmaci per la disfunzione erettile, tipo Viagra, Cialis e simili?
– Non lo so. In tutta franchezza non mi sembra improbabile. Era un uomo, diciamo molto adulto, quasi anziano, con una moglie giovane. Lui non me ne ha parlato – anche questo non lo avrebbe mai confessato a nessuno – ma se dovessi scommettere, punterei sul sí.
– L'uso congiunto di Viagra o simili e cocaina aumenta il rischio ischemico, vero?
– Senza dubbio.

13.

Erano passati quattro giorni. Alessandro non mi aveva scritto, non mi aveva chiamato e nemmeno l'avevo visto al parco quando ero andata ad allenarmi. Gli mandai un messaggio, cauto: «Ciao, solo un saluto, che fai?»

Rispose subito. Era in centro, di lí a breve sarebbe passato dalla libreria Rizzoli, in Galleria. Mi andava di vederci lí, se non avevo da fare? Mi andava e venti minuti dopo ci trovammo davanti alle vetrine ed entrammo.

– Devi prendere qualcosa?

– No, vengo qui perché mi piace stare fra i libri. Mi placa l'ansia. Poi alla fine compro sempre qualcosa. Ti piacciono le librerie?

– Mi piacciono, o forse mi piacevano. Da qualche anno ci entro meno spesso.

– Cosa leggi?

È possibile essere messi in difficoltà da una domanda tanto semplice? Dovresti sapere cosa leggi. Io non lo sapevo, non piú. Cercando una risposta accettabile ebbi la percezione, netta e inquietante, di non avere consapevolezza di nulla. Di vivere sulla superficie deserta delle cose.

– Da ragazza amavo gli scrittori sudamericani. Adesso le storie di quei romanzi mi sembrano lontanissime. Leggo ancora, ma è come se non mi rimanesse niente.

– Questo lo conosci? – disse prendendo un volume. *Un cuore timido*, di Steve Martin.

– Ma è l'attore?

– Sí. Capisco lo sguardo di diffidenza, ma permettimi di regalartelo e promettimi di leggerlo. Poi mi dirai.

Continuammo a camminare tra gli scaffali e a chiacchierare.

– Questo è interessante –. Indicò un volumetto azzurro della Piccola Biblioteca Adelphi. *Del mangiare carne*. Plutarco.

– Sarebbe il Plutarco delle *Vite parallele*?

– Sarebbe lui, sí.

– Sei vegetariano? Vegano?

– Vegetariano: mangio le uova e il formaggio.

– Da quando?

– Non da molto. Saranno quattro anni. Per un certo periodo ho dato una mano a dei ragazzi che gestiscono un canile per cani abbandonati. Accolgono anche altri animali senza padrone. In quel centro ho fatto amicizia con una maialina di nome Peppa. Credo fosse in custodia giudiziale, portata lí dalla polizia: l'avevano sequestrata a un tizio arrestato per mafia che la teneva come animale da compagnia. Non hai idea di quanto possa essere socievole e intelligente, un maiale. In breve mi fu impossibile mangiare carne di quel tipo. Poi ci ragionai su e mi domandai: perché non mangio il maiale e invece i vitellini sí? Mi venne in mente quello che diceva a mia madre una sua amica olandese, vegetariana quando la cosa era ancora inusuale: «Tu mangi vitello dagli occhi dolci». Insomma, ho smesso di mangiare ogni tipo di carne.

– E il pesce?

– Ho visto un documentario sui polpi. Pare abbiano un'intelligenza incredibile, riescono ad aprire barattoli con chiusure di sicurezza, sanno orientarsi nei labirinti, ricordano a distanza di tempo come hanno risolto un problema. Pare anche che sognino. Ho smesso di mangiare i polpi, dopodiché non mangiare i pesci è venuto da sé. Ed eccomi qua.

– Non lo so se è il modo giusto di impostare la questione. A me piace la carne, mi piace il prosciutto, mi piace il salame e soprattutto mi piace ogni tipo di pesce. Gli umani hanno sempre mangiato carne e pesce. Non sono fanatica delle cose naturali, ma insomma, mangiare carne è una cosa della natura. Lí fuori ci sono centinaia di razze che vivono mangiando altri animali. Non si chiedono se abbiano o no il diritto di farlo.

– Anch'io non penso che le cose naturali siano preferibili in sé. Le epidemie sono naturali, i terremoti sono naturali, le inondazioni sono naturali. E capisco il tuo argomento. È giusto: gli uomini primitivi, poi quelli che allevavano gli animali per sopravvivere e le popolazioni dei pescatori *dovevano* mangiare altri animali per sopravvivere. E, inutile dirlo, i leoni, le tigri, i lupi, le volpi devono mangiare altri animali. È indispensabile per la loro sopravvivenza.

E dunque?

– Ma tu e io? Noi non siamo lupi o tigri, loro non possono scegliere se mangiare o no la carne. Cosí come non potevano scegliere gli uomini primitivi. Tu e io viviamo in Italia nel 2019, e alimentarci senza carne – e anche senza pesce – non solo non comporta un pericolo per la vita, ma neanche un pericolo per la salute. Perciò noi *scegliamo* di mangiare gli altri animali. Mangiamo – mangiate – vitello dagli occhi dolci.

Odio quando non riesco a replicare. Mi accorsi che mi stavo innervosendo. E non mi sembrava corretto innervosirmi e questo mi faceva innervosire ancora di piú.

Lui proseguí.

– Qualcuno dice che la vita intelligente vale di piú della

vita non intelligente o meno intelligente. Argomento piuttosto sgradevole, ma accettiamolo per un minuto. Qual è il criterio per definire la vita intelligente? E quale il criterio per stabilire le gerarchie dell'intelligenza?

– Fammi capire meglio.

– Un maialino è molto piú intelligente di un bambino di pochi mesi. È molto piú capace di risolvere problemi pratici. Riesce a manipolare una tastiera per ottenere il risultato desiderato. È in grado di memorizzare lunghi viaggi alla ricerca di qualcosa che già conosce. Non immagini quante cose è in grado di fare. Secondo alcuni studi l'intelligenza di un maiale è pari a quella di un bambino di tre anni. Alcuni ritengono che i maiali siano anche piú intelligenti dei cani.

– Quindi il tuo argomento è che non possiamo mangiare gli animali intelligenti? Perché è immorale?

– Non ho le idee cosí chiare. Ti ho detto che le mie opinioni sono poche e incerte. Non mi piacciono i vegetariani o i vegani che sostengono la superiorità etica della propria scelta. In certi estremismi ci vedo proprio il contrario dell'etica. Gli argomenti razionali e le riflessioni etiche sono una parte della questione. Per quanto mi riguarda, la scelta di non mangiare animali ha a che fare con le emozioni almeno quanto ha a che fare con la razionalità e con l'etica. Noi non proviamo commozione o disgusto davanti a un bell'hamburger. Ma se assistiamo allo spettacolo di un vitello che si dibatte mentre lo trascinano, be' qualche dubbio ci viene. Se non avessi conosciuto Peppa, e non avessi visto quel documentario sui polpi, è probabile che gli ottimi argomenti razionali a favore della scelta di non mangiare animali non mi avrebbero convinto.

Avrei voluto replicare qualcosa, ma non era facile di fronte a un ragionamento congegnato in quel modo. Come combattere con un avversario che ti scivola dalle mani mentre cerchi di acchiapparlo e dopo qualche istante te lo ritrovi da un'altra parte.

– Insomma, io non ho certezze. Però mi è passata la voglia. Anche se a volte mi viene la nostalgia di una bella fetta di San Daniele o di Jamón serrano.

Girovagammo un altro po' per la libreria. Non sapevo mettere a fuoco la situazione e mi comparvero in mente, scritte a grandi caratteri – una cosa che talvolta mi capita –, le parole «circospezione cordiale».

Ecco, lui era cordialmente circospetto. Parlava e stava attento a non farmi domande, a non toccare argomenti che potessero infastidirmi. Una conseguenza della mia risposta alla domanda su cosa facessi.

Andò alla cassa per pagare il libro che aveva deciso di regalarmi, e uscimmo.

Mi sentii in dovere di dire qualcosa.

– Ero magistrato, poi sono accadute delle cose e ho dovuto lasciare quel lavoro.

Annuí senza aggiungere nulla.

– Adesso faccio altro, magari un giorno ti racconto.

– Va bene, – fece lui, dandomi il libro. – Ora scappo, ci vediamo al parco.

Andò via e io rimasi davanti alla vetrina con il romanzo in mano.

Forse è sposato, forse ha una famiglia e corre via perché deve andare a casa. Forse è per questo motivo che non ci prova. È gentile, amichevole, magari gli sono simpatica, ma non ha intenzione di stendermi su un letto. Succede, non è vero che tutti gli uomini hanno in testa solo quello. Molti, certo; la maggioranza sí, ma non tutti. È seccante incontrarne tanti che sono elementari e incapaci di sfumature e prevedibili (sai esattamente cosa faranno in ogni specifico momento del rituale; sai esattamente che tasti schiacciare per produrre le reazioni che vuoi), di cui non ti importa nulla e con cui scopi per trovare conferme sempre piú stantie, per narcotizzare la tua angoscia. È seccante, dicevo, incontrarne tanti cosí e, quando ne capita uno che ti interessa, scoprirti incapace di decifrarlo.

Quell'altalena di pensieri ossessivi mi accompagnò fino a casa, fino a sera, finché non andai a letto. E a letto, per la prima volta da anni, mi masturbai pensando a un uomo. Intendo un uomo reale, non un manichino da porno privato. Un uomo che desideravo davvero.

Da tanto tempo le vibrazioni del mio corpo non erano state cosí violente e insieme cosí dolci e piene di malinconia.

Cinque anni prima

L'udienza finí prima del previsto: in diversi fascicoli c'erano errori di notifica e il tribunale fu costretto a rinviare quasi tutto. Di fatto celebrammo per intero solo due processi con detenuti. Uno spaccio di MDMA e un'estorsione. Sarebbero stati entrambi insignificanti, se l'imputato del processo per stupefacenti non avesse dato spettacolo. Era un tizio che pareva rigurgitato nell'oggi direttamente dalla fine degli anni Sessanta. Indossava pantaloni ampi di stoffa indiana, allacciati in vita con uno spago, una maglietta con sopra un gilè peruviano, occhialini alla John Lennon e una collana con medaglione di cuoio. I capelli erano lunghi, grigi – aveva passato i sessanta – e non sembravano freschi di shampoo. Come lui non sembrava fresco di doccia.

Era accusato di spaccio e di esercizio abusivo della professione medica. Riceveva nel suo studio persone che avevano subito dei traumi o coppie in crisi e praticava loro una terapia a base di meditazione, yoga biodinamico – qualunque cosa significhi – e somministrazione, appunto, di MDMA.

Si sottopose a interrogatorio e, rispondendo alle domande del suo difensore, spiegò che lui non spacciava, curava; che non aveva mai venduto droga; che la somministrazione eventuale di MDMA serviva per il percorso di rinascita dei suoi assistiti; che l'MDMA viene usato per terapie di coppia anche dalla cosiddetta medicina ufficiale.

Poi toccò a me controinterrogarlo.
– Lei è medico?
– Sono un terapeuta di medicina alternativa.
– Medicina alternativa. Ottimo. Ma, intendevo, ha una laurea in Medicina?
– Cara signora, io non riconosco il valore legale del titolo di studio. Noi sciamani non abbiamo lauree, eppure siamo capaci di affrontare in modo olistico i disturbi dell'umano, per ricondurre i viventi al principio di armonia con il tutto. Ho letto bene le accuse che mi muovete: i capi di imputazione contengono evidenti errori.
Ammetto che cominciavo a divertirmi.
– Quali errori?
– Intanto io non esercito la professione medica, pratico lo sciamanesimo. Che si possa fare una confusione simile mi sembra assurdo, come ho già detto quando mi hanno interrogato. In secondo luogo: non ho spacciato niente.
– A dire il vero nel capo di imputazione c'è scritto che ha ceduto ripetutamente sostanza stupefacente del tipo MDMA. Ci sono dichiarazioni di vari testimoni, li ha ascoltati anche lei, e c'è il sequestro della sostanza presso la sua abitazione quando è arrivata la Finanza. Ricorda?
– Io non ho ceduto niente. Si cede quando si vende qualcosa. Io ho utilizzato, se era necessario, questa sostanza somministrandola alle persone che chiedevano il mio aiuto. La somministrazione fa parte di una complessa procedura – non pretendo che lei capisca – che mira a ripristinare l'affettività, la socialità e il senso di unione con l'universo.
– Lei percepiva qualche forma di retribuzione per questo... ripristino del senso di unione con l'universo?
– Mai percepito pagamenti.
– Diversi testimoni, suoi... come definirli... pazienti hanno riferito di averle versato somme di denaro.

– Ribadisco: mai percepito pagamenti per la mia pratica sciamanica, che è naturalmente gratuita. A volte qualcuno decideva di aiutare l'attività di ricerca della mia associazione, ma quei soldi non erano un corrispettivo per il mio operato, erano donazioni.

Continuammo ancora per qualche minuto a parlare di senso di unione con l'universo e sostanze iniziatiche. Sembrava un diversivo interessante alla noia dell'udienza, ma a un certo punto cominciai a percepire insofferenza da parte del presidente del collegio. Non aveva torto. Il cazzeggio è bello se dura poco. Cosí troncai la cosa che, inutile dirlo, non aveva alcun rilievo sul processo e sulla formazione della prova. Che era già ampiamente formata.

L'avvocato chiese che fosse disposta una perizia psichiatrica per accertare la capacità di intendere e di volere dell'imputato. Io risposi che le stramberie non coincidono con l'incapacità di intendere e di volere e mi opposi alla richiesta. L'istanza fu rigettata, facemmo le nostre conclusioni e il tribunale, dopo una camera di consiglio di una decina di minuti, condannò lo sciamano per tutte le imputazioni e dichiarò tolta l'udienza.

Erano passate da poco le sedici, mi dissi che non valeva la pena rientrare a casa. Passai un paio d'ore a scrivere richieste di archiviazione per fascicoli che erano nell'armadio da troppo tempo e alle diciotto e trenta in punto salii sull'automobile venuta a prendermi per portarmi in questura.

14.

Quello della domenica non fu un grande risveglio; di rado lo è. Ci si potrebbe domandare in cosa sia diverso da quello degli altri giorni, per una che non ha un lavoro regolare. O forse sarebbe piú corretto dire: una che non ha un vero lavoro. Ma certi ritmi, certi flussi dell'umore sono difficili da scardinare anche quando tutto il resto è già stato scardinato. La domenica è la perfetta lente di ingrandimento per l'angoscia che ti porti appresso, piú o meno addomesticata, gli altri giorni della settimana.

Tocca reagire, per non essere risucchiata. O travolta? Chissà qual è la parola giusta.

Comunque sia, dopo aver portato fuori Olivia, mi preparai un'omelette con la marmellata di mirtilli, una spremuta d'arancia e un caffè. Mangiai cercando di gustarmi la colazione, fumai la prima sigaretta della giornata, feci una doccia, mi vestii.

– Andiamo a fare un sopralluogo, collega?

Olivia non ebbe nulla in contrario, anzi. Abbandonò subito l'osso di pelle di bufalo con cui si stava baloccando e si lasciò mettere il guinzaglio mentre scodinzolava con vigore. Quando uscimmo mi accorsi che il tempo era migliorato e ogni tanto il sole si apriva un varco fra le nuvole di novembre. Anche il mio umore ne guadagnò.

Lisa Sereni abitava in via della Moscova. Da casa mia una bella passeggiata: almeno mezz'ora di buon passo attraversando tutto il centro. Lungo il tragitto Olivia rifiutò il grossolano corteggiamento di un labrador, mentre io incontrai un tizio con cui ero uscita qualche sera, qualche anno prima; esperienza non indimenticabile, infatti avevo scordato il suo nome. Mi disse che mi avrebbe richiamato per bere qualcosa insieme. Risposi che mi avrebbe fatto piacere; non lo informai che avevo cambiato numero di telefono.

Il palazzo era un elegante condominio dei primi anni Sessanta e c'era un cartello che indicava gli orari di portineria. Di regola il portiere sarebbe stata la prima persona da interrogare – per caso aveva visto qualcuno salire dal professore la sera precedente alla morte? E altro –, ma nessuno poteva garantirmi che non sarebbe andato subito a spifferare tutto all'interessata. Annotai mentalmente la cosa e mi guardai in giro per capire quale poteva essere un buon punto di osservazione sul portone di ingresso. Non avevo un piano preciso, anzi non avevo un piano. Dopo averla vista in fotografia volevo vederla di persona. Se ci fossero state le condizioni l'avrei pedinata, avrei visto dove andava, cosa faceva, chi incontrava. Magari da tutto questo mi sarebbe venuta qualche idea. O magari no, ma non avevo tante alternative.

Mi resi conto quasi subito che per quella specie di appostamento non c'era modo di usare un bar. Il piú vicino era a un centinaio di metri dal portone. Per scrupolo mi sedetti a prendere un caffè occupando uno dei due tavolini all'aperto. La visuale era davvero pessima, si prendeva freddo e sostare a lungo al tavolino di un esercizio che ne aveva cosí pochi era un ottimo modo per farsi notare, magari anche da qualcuno dei carabinieri che lavoravano nel comando lí vicino.

L'unica possibilità seria era servirsi di una macchina da

parcheggiare sul marciapiede di fronte, non proprio in corrispondenza del civico ma in modo da non essere costretta a faticose contorsioni.

Avrei preso un'auto in car sharing; non presentano problemi di parcheggio in nessuna parte della città e passano inosservate. Come i taxi.

Se volete effettuare un pedinamento riducendo al minimo i rischi di essere scoperti, prendete in prestito un taxi. Si diventa invisibili, o quasi. Nessuno ci bada, perlomeno nelle zone centrali o semicentrali di una città come Milano. Il discorso è già diverso se vi trovate a Quarto Oggiaro o alla Barona.

Mi incamminai sulla via del ritorno pensando ai dettagli di quello che avrei fatto il giorno dopo, a come lo avrei fatto. In realtà: credendo di pensare ai dettagli. In questi casi, di solito, mi distraggo e la mente va ad altre cose, periferiche. O forse centrali senza che io ne sia consapevole.

Mi ricordai di quando due vecchi sbirri della Squadra Mobile mi insegnavano le tecniche di pedinamento. Accadde durante il tirocinio, l'epoca della mia vita che, quando mi sforzo di ricordarla, sembra la piú irreale di tutte. Quell'entusiasmo pieno di gioia e rabbia è l'emozione piú inafferrabile della mia memoria, la piú estranea e lontana. Per tutto quello che è successo dopo, suppongo; ma anche per l'enormità inconcepibile di un'eccitazione che era anch'essa, come molto altro, una patologia. Come l'innamoramento, che per Freud era la condizione piú vicina a una psicosi. Ancora adesso non riesco ad ascoltare i Radiohead e in particolare *Creep* e *Karma Police*, la mia colonna sonora di quegli anni, senza provare una nostalgia amara, un'inquietudine insopportabile, un senso di perdita inguaribile.

Mi mettevo d'accordo con i poliziotti e uscivo con loro partecipando ai servizi di o.p.c. (osservazione, pedinamento e controllo) su corrieri della droga, intermediari di estorsioni, usurai. Il sostituto procuratore cui ero affidata per il tirocinio veniva tenuto rigorosamente all'oscuro di tutto. Era un ottimo magistrato garantista (troppo per i miei gusti di ragazza che voleva prendere i cattivi in un modo o nell'altro, senza lasciarsi ostacolare da regole e formalità), di Magistratura Democratica, che ci teneva a che fossero distinti i ruoli del pubblico ministero e della polizia giudiziaria. Com'era piú che giusto, beninteso. Però a me piaceva proprio mescolarli, quei ruoli. Prendermi il divertimento feroce di dare la caccia ai criminali stando in mezzo alla strada come un poliziotto, essendo però pubblico ministero, cioè un magistrato, con l'autonomia privilegiata che questa funzione comportava (con le riforme di qualche anno dopo le cose sono cambiate, i sostituti procuratori non sono piú cosí autonomi e il mondo non sembra diventato migliore, ma questo è un altro discorso).

Il pedinamento da manuale richiederebbe una squadra di investigatori che seguano a turno la persona «attenzionata», come si dice nel gergo di polizia, per ridurre il rischio di insospettire il pedinato (rischio altissimo quando si tratta di terroristi o criminali di professione) e vanificare l'attività. Questo in un mondo ideale. Nel mondo reale le squadre sono carenti di personale e i pedinamenti, come molto altro, si fanno con quello che si ha a disposizione.

Pedinare una persona non è reato e non richiede una specifica autorizzazione, se l'attività si svolge in un luogo pubblico senza che il destinatario se ne accorga e percepisca il pedinamento come una molestia o addirittura una forma di stalking.

L'ispettore Mucci – uno dei due sbirri della Mobile da cui imparai a conoscere un po' del lavoro che c'è dietro i fascicoli che arrivano sulla scrivania di un magistrato – diceva: «Bisogna stabilire la distanza in base alla velocità del sorvegliato e del posto in cui ci si trova. Non è la stessa cosa pedinare qualcuno in una via affollata o in un giardino o in una piazza deserta. Come nel pugilato, – Mucci era stato un pugile dilettante, – un buon pedinamento è questione di ritmo. Se il soggetto attenzionato si volta di scatto o si ferma a guardare una vetrina, bisogna superarlo, proseguire per qualche metro e fermarci anche noi a guardare una vetrina. Le vetrine, inoltre, si possono usare come specchi per sorvegliare senza dare nell'occhio. La regola generale dell'osservazione, pedinamento e controllo è di comportarci come se qualcuno – non necessariamente il sorvegliato – ci stesse osservando. Se ci sembra che l'obiettivo abbia qualche sospetto, bisogna sganciarsi subito».

Aggiungo io: al tempo stesso devi comportarti in maniera spontanea. Come nei giochi di prestigio.

Un pedinamento al quale mi fecero partecipare si concluse con l'arresto in flagranza del pedinato. Era l'intermediario di un'estorsione, io non avrei dovuto essere lí (e la cosa fu nascosta al mio magistrato affidatario), invece c'ero e aiutai i poliziotti a bloccare il tizio, a immobilizzarlo mentre cercava di divincolarsi, godendomi il gusto fisico, acre ed elementare della caccia e della cattura. Non avrei dovuto farlo, come non avrei dovuto fare molte altre cose in seguito. Ma forse era già tutto segnato da allora.

Il giorno successivo, verso le otto, presi un'auto del car sharing comunale e raggiunsi via della Moscova. Dovetti girare intorno all'isolato per oltre mezz'ora prima che si liberasse un posto adatto ai miei scopi, ma alla fine parcheggiai, mi sedetti nella posizione piú comoda per osservare e tirai fuori dallo zaino *Un cuore timido*, di Steve Martin, il libro che mi aveva regalato Alessandro e che mi ero portata per rendere l'attesa meno noiosa.

Tre ore, una cinquantina di pagine (di quelle che ti fanno pensare che vorresti conoscere l'autore) e diverse sigarette dopo, avendo visto ogni tipo di uomini e donne entrare e uscire da quel portone, ma nessuno che ricordasse anche vagamente Lisa Sereni, decisi che poteva bastare e che ci avrei riprovato nel pomeriggio.

Ritornai verso le quattro e questa volta fui fortunata con il parcheggio; subito dopo fui fortunata con il mio obiettivo. Avevo appena aperto il libro quando Lisa Sereni – era senza dubbio lei – uscí dal palazzo. Aveva i capelli legati in una coda di cavallo che le dava un'aria da ragazzina; indossava una giacca a vento e, sotto, una tuta di felpa grigia, come se stesse andando in palestra, ma non aveva zaini o borsoni sportivi. Invece tirava dietro di sé un carrellino per la spesa dall'aria antiquata e allegra che mi suscitò un moto di simpatia.

Scesi dall'auto prendendo la sacca con i miei abiti da pedinamento, le diedi una trentina di metri di vantaggio e le andai dietro. Camminammo per sette, otto minuti fino ad arrivare a un supermercato biologico della stessa catena di quello vicino casa mia, dove mi rifornivo di tutto. Lei entrò, io infilai un impermeabile chiaro sopra il mio giubbotto nero, misi dei finti ma vistosi occhiali da vista e mi calai in testa un borsalino. Dopodiché la seguii all'interno.

I supermercati sono ottimi posti per osservare i soggetti pedinati. Nessuno bada a nessun altro, a meno che non gli finisca addosso. Cosí mi fu possibile avvicinarmi, guardarla bene – era davvero bella, sembrava anche piú giovane della sua età – e fare caso a quello che sceglieva. In verità era come se stesse usando una lista della spesa scritta da Penelope Spada. Noci pecan, kefir, olio di sesamo, quinoa, semi di chia, cavolo riccio, tè verde. A un certo punto prese da uno scaffale una salsa piccante coreana buonissima che pensavo di essere la sola a conoscere in Lombardia e dintorni. Pure io colsi l'occasione per assicurarmi la cena. Comprai meno di lei, ma alla fine i nostri carrelli parevano quelli di due affiliate alla stessa setta di fanatici.

Ebbi addirittura la tentazione di attaccare discorso su alcuni prodotti. Mi trattenni: non bisogna esagerare, è stata proprio la propensione non controllata a farlo che ha complicato – amo gli eufemismi – la mia vita.

Arrivammo alle casse quasi insieme e al momento di pagare pasticciai deliberatamente con la carta di credito per lasciarle un po' di vantaggio: sulla via del ritorno non c'era il rischio di perderla.

Dieci minuti dopo lei rientrò a casa e io constatai che qualcuno aveva preso la mia macchina a noleggio. Stavo cercando con l'app un'altra vettura nelle vicinanze quando vidi Lisa uscire di nuovo, questa volta con uno zainetto.

Camminò per un'altra decina di minuti, senza voltarsi indietro e senza guardarsi attorno, e arrivò a una palestra dall'aria lussuosa cui non avevo mai fatto caso, sebbene fosse in via Senato, una strada da cui passavo spesso.

Lei entrò e io rimasi lí a domandarmi cosa fare.

Forse poteva essere un'idea iscriversi alla palestra? Lo scopo di una simile mossa era poco chiaro, a me per prima. La questione è che, in certi ambiti, quasi mai esistono mosse per le quali siamo capaci davvero di prevedere gli esiti. Semplicemente: provi a fare qualcosa sperando che venga fuori qualcosa d'altro e cosí via. Si tratta di scommesse, piccole o grandi, che uno ne sia consapevole o no. L'unica regola è fare, il piú possibile, scommesse a basso rischio, di quelle che se perdi non succede nulla di definitivo, evitando quelle dagli esiti irrecuperabili.

Iscriversi alla palestra non sembrava troppo rischioso, mi dissi avviandomi verso l'ingresso.

15.

La ragazza alla reception sembrava di plastica. Ricordava certe commesse che lavoravano nel negozio di Abercrombie & Fitch quando il marchio era molto di moda. Erano tutte giovani, belle e intercambiabili. Lola – si chiamava, stando alla spilletta sulla t-shirt – era bionda, abbronzata, tonica, con grandi occhi verdi inespressivi. Mi consegnò un modulo dicendomi di compilarlo. Lo feci, pagai tre mesi sfruttando una promozione e ricevetti un badge magnetico che sarebbe stato attivo dal momento in cui avessi consegnato il certificato medico di sana e robusta costituzione.

Fuori, mentre pensavo al certificato che dovevo farmi rilasciare, fui colpita da un pensiero disturbante, come qualcosa che irrompe in una normalità fittizia mostrandone i limiti e, appunto, le finzioni.

Non facevo una visita medica – di nessun tipo – da quasi sei anni. Potevo dirlo con certezza perché l'ultima volta che era accaduto – un controllo di routine dal ginecologo – ero ancora un magistrato. Non so bene per quale motivo il pensiero mi sconvolse in modo cosí profondo. Forse perché tutto ciò che mi riconnetteva all'enormità dell'accaduto non poteva che produrre un simile effetto; forse perché percepivo di avere vissuto quel tempo fra parentesi, o in animazione sospesa. O forse perché mi resi conto che avrei dovuto fare certe visite indipendentemente dalla palestra. Avevo quarantacinque anni e una donna di quell'età deve andare dal ginecologo, deve fare il pap-test, deve fare la mammografia. Io non ne avevo mai fatta una, avevo smesso di prendermi cura della mia salute proprio sulla soglia dei quaranta. Fui attraversata da pulsazioni di paura, pensando a quello che poteva risultare da una visita medica. Pensai al tipo di vita che avevo fatto in quegli anni, al vino, ai liquori, alle sigarette; agli uomini con cui mi ero ritrovata a passare serate inutili, notti angosciose e, a volte, stupidamente pericolose. Quanti erano? Non lo sapevo, di alcuni non ricordavo il nome, di alcuni, forse, non l'avevo mai saputo. Una serie di immagini in bilico fra la tristezza e il ridicolo mi balenò nella mente come in un caleidoscopio di cattiva qualità, dove al posto dei pezzetti brillanti di vetro colorato c'erano immagini opache, in penombre poco dignitose, in stanze quasi tutte uguali. Per qualche spiacevole istante rividi quell'assurda serie di membri maschili. Oggetti che possono essere molto attraenti e altrettanto ridicoli, se non patetici, solo per l'effetto di un minuscolo scarto di prospettiva. Pensai con imbarazzo al disappunto che avevo provato certe notti, con l'ennesimo compagno occasionale, scoprendo quanto poco fosse dotato; pensai con uguale imbarazzo a certe conformazioni assurde dell'oggetto in questione e alle cose che talvolta dicevano i relativi titolari. Recitavano una parte, qualcosa di imparato alla scuola dei film porno che rendeva il tutto, spesso, terribilmente grottesco.

Chissà a quali pericoli ero passata vicina, vicinissima. Intendo pericoli per la salute, ma forse non solo.

Con quale incredibile e sorda determinazione mi ero avventurata cosí in profondità in certi territori. Toccavo i corpi di quegli uomini con tanta sfrontatezza per governarli, per renderli innocui, per paura di essere davvero toccata da loro; per vincere il disgusto, l'angoscia, lo sgomento.

Dovevo andare dal medico a farmi fare il certificato per la palestra ma, soprattutto, dovevo andare da un ginecologo. Avevo quarantacinque anni, cosa era successo nel mio corpo in tutto quel tempo? Cosa stava per succedere?

Il ginecologo avrebbe potuto dirmi – probabilmente lo avrebbe fatto – che mi stavo avvicinando alla menopausa. Fu un'idea raggelante. No, non sarei andata da nessun medico, ero stata bene per tutti quegli anni e quando era capitato qualche malanno mi ero curata da sola senza problemi.

I pensieri si rincorrevano a un ritmo ossessivo e insopportabile, come se un attacco di panico fosse sul punto di cogliermi. Presi a camminare a lunghi passi, contando i respiri, cercando di concentrarmi solo su quelli. Lo feci per quasi mezz'ora. Quando arrivai a casa il peggio era passato.

La mattina dopo andai allo studio del mio medico di famiglia. Bizzarra espressione (famiglia, quale?), mi dissi mentre prendevo posto nella sala d'attesa. Prima di me c'era una sola persona, un tizio con l'aspetto del funzionario statale in pensione. Giacca, cravatta, soprabito. Tutto dignitoso e un po' liso. Una quieta e implacabile entropia in azione.

Mi guardò piú volte, forse convinto che non me ne accorgessi, e a un certo punto ebbi l'impressione che mi conoscesse, che magari avessimo avuto a che fare nell'altra vita. Quando il dottore lo fece entrare mi sentii sollevata.

Rimasta sola pensai all'ultimo ambulatorio in cui ero stata, appena qualche giorno prima: quello di Loporto. E pensai a lui. Mi era sembrato che non fosse del tutto cooperativo, forse perché considerava assurde le mie domande.

Sei un medico, constati una morte dipendente, con ogni evidenza, da eventi naturali, e a distanza di anni qualcuno viene a chiederti se non potrebbe essersi trattato di un omicidio, ipotizzando in pratica che tu sia stato frettoloso nel trarre le conclusioni: è normale che ci sia una riserva mentale a collaborare. Dovresti ammettere la possibilità di esserti sbagliato, ma non ne vedi la ragione. Neanch'io del resto riuscivo a vederla, la ragione, mi dissi archiviando l'argomento quando venne il mio turno.

Il dottor Costantino era un uomo sui cinquanta, un po' sovrappeso, con l'espressione bonaria e un filo di accento meridionale che non riuscii a collocare geograficamente. Non me lo ricordavo – ero stata da lui non piú di un paio di volte in tutto, in qualche caso mi ero fatta fare delle ricette che altri erano andati a ritirare per me – e nemmeno ricordavo per quale motivo, una decina di anni prima, lo avessi scelto come medico di base. Era gentile, mi chiese come mai non ci vedessimo da cosí tanto tempo, registrò la mia risposta falsa con garbo e senza commenti. Se sapeva cosa mi era accaduto non lo diede a vedere. Disse che, se non mi dispiaceva, avrebbe proceduto a un controllo completo, elettrocardiogramma incluso.

Fu molto accurato, mi auscultò, mi fece tossire, mi palpò con delicatezza. Poi eseguí l'elettrocardiogramma e, nel complesso, la situazione mi diede un senso di quiete inattesa, mi rammentò le visite dal mio pediatra. Il leggero odore medicinale che quel vecchio medico si portava appresso; le caramelle Rossana che ti regalava alla fine se ti eri comportata bene, cioè sempre.

Il dottor Costantino si rivelò un uomo piacevole. Mentre mi visitava parlavamo, e con mio grande stupore avevo voglia di rispondere alle sue domande, addirittura di raccontargli di me. Non lo feci, ma fu bello provare quella sensazione. Portava la fede e mi sorpresi a chiedermi come fosse la sua famiglia, se avesse bambini, se erano felici. Tutto questo è oltremodo strano, mi dissi. Proprio con questa espressione formale, una cosa che mi succede quando entro in contatto con pensieri per me inconsueti.

– Quanti anni ha, dottoressa Spada?

– Quarantacinque.

– Per molti aspetti è in grandissima forma. L'elettrocardiogramma va bene, ha cinquantacinque pulsazioni al minuto, pressione diastolica settantacinque, sistolica centoquindici e anche solo a occhio direi che ha un rapporto massa grassa massa magra da atleta professionista. Si allena seriamente, vero?

– Sí. È un po' una mia nevrosi.

– Una buona nevrosi, direi. Posso chiederle se ha l'abitudine di consumare bevande alcoliche?

Se consumavo alcol? Ne consumavo eccome, nelle sue forme piú varie. La bottiglia è mia amica, caro dottore.

– Un po'. Qualche bicchiere di vino.

– Magari qualche bicchierino la sera, qualche cocktail?

– Ogni tanto.

– Glielo chiedo perché ho sentito il fegato un po' ingrossato. Niente di grave, ma sono cose da non trascurare in generale, e a cui prestare maggiore attenzione quando diventiamo piú grandi. Beva pure un bicchiere di vino ai pasti, ma lasci perdere il resto. L'ideale sarebbe se per un mesetto riuscisse a fare dieta alcolica.

– Sarebbe a dire?

– Non bere.

Il solo pensiero mi produsse un impulso di fuga cosí intenso che dovette tradursi in una smorfia perfettamente percepibile. Tacque per qualche istante, poi sospirò guardandomi come si guarda un ragazzino indisciplinato.

– Almeno riduca un po'. Fuma?
– Sí.
– Quanto?
– Tre o quattro sigarette al giorno, – mentii.
– Non voglio opprimerla, sa già che non è una buona idea. Auscultando i bronchi si sente. Valuti la possibilità di smettere.

Mi tornarono in mente le parole di una vecchia canzone. Se non vuoi smettere di bere e di fumare, e se non vuoi sentirtelo dire, meglio non andare dal medico.

– Sí, è un po' che ci penso. Adesso provo a ridurre e vediamo come va.

Mi sorrise con l'espressione di uno che non crede a una parola di quello che hai detto. Compilò il certificato medico di sana e robusta costituzione, ci spillò il grafico dell'elettrocardiogramma e mi accompagnò alla porta. Salutandomi mi diede l'impressione che sapesse su di me cose che io non sapevo, e che ne avrebbe fatto buon uso. Non era possibile, ma quella percezione mi lasciò una lieve inquietudine mista a un filo di incomprensibile allegria.

16.

Mi ritrovai in via Pasubio, una strada che non percorro spesso, non so perché. Sul marciapiede, subito prima della Fondazione Feltrinelli, c'era un tizio seduto su una seggiola con un tavolino e una macchina da scrivere Lettera 22. A terra, al suo fianco, una pila di libri; attaccato al tavolino un cartello con su scritto: «Bottega di scrittura. Un racconto espresso, euro 30».

– Che significa un racconto espresso?

– Lei mi chiede un racconto su qualcosa che la riguarda. Parliamo un po', io scrivo il racconto, glielo consegno – unica copia esistente – e lei mi dà trenta euro.

– Non sono sicura di aver capito bene.

– Immaginiamo che lei voglia raccontare un fatto che le è accaduto, o un'emozione, o un sogno. Oppure vuole scrivere a qualcuno, ma non nella normale forma epistolare... ammesso che la forma epistolare esista ancora. Viene da me, mi spiega cosa desidera e io interpreto il suo desiderio o la sua necessità. Le scrivo un racconto. È un po' come i biscotti della fortuna. Non sempre ci piace quello che ci troviamo dentro. A volte sono solo banalità. Ma capita anche che ci suggeriscano un punto di vista nuovo. Un racconto su qualcosa di nostro, ma scritto da altri, ci fornisce uno sguardo inatteso, e ci permette di risolvere un problema che ci pareva insuperabile.

– Quanto impiega?

– Dieci minuti, un quarto d'ora. Può aspettare che io scriva o ripassare dopo una mezz'ora.

– Come è possibile scrivere un racconto in dieci minuti?

Sospirò. Si guardò attorno, come per controllare che nessun altro ascoltasse la conversazione.

– Ovviamente c'è il mestiere. O il trucco, se preferisce chiamarlo cosí.

– E quale sarebbe il trucco? – domandai incuriosita.

– Conosce l'effetto Forer, anche detto effetto Barnum?

– Barnum come il circo?

– Proprio lui. Ne ha mai sentito parlare?

– Devo ammettere di no. Cos'è?

Forer era un professore di psicologia. Sottopose alcuni suoi allievi a un test di personalità e alla fine consegnò a ciascuno di loro una relazione chiedendo che esprimessero un giudizio sull'accuratezza del profilo delineato. Quasi tutti i ragazzi considerarono molto precisa la relazione ricevuta: in sostanza si riconoscevano in pieno nelle cose che c'erano scritte. Solo allora Forer rivelò agli studenti che era stato consegnato a tutti lo stesso documento, compilato prima ancora che il questionario fosse somministrato. Il testo era piú meno cosí:

> Hai bisogno dell'apprezzamento altrui e hai una certa tendenza all'autocritica, a volte distruttiva. Hai debolezze caratteriali, ma in genere sei in grado di gestirle. Hai molte capacità inutilizzate e questo è un tuo cruccio. Spesso dubiti di aver preso la decisione giusta. All'esterno appari spesso disciplinata e controllata anche se questa immagine esteriore nasconde sovente preoccupazione e insicurezza. Apprezzi il cambiamento e la varietà e ti senti insoddisfatta se sei obbligata a restrizioni o limitazioni. Ti vanti di essere indipendente nelle tue idee e di non accettare opinioni degli altri senza prove soddisfacenti. Tendi a essere affidabile e a rispettare gli impegni. Hai scoperto a tue spese che è imprudente essere trop-

po sinceri nel rivelarsi agli altri. A volte sei estroversa e socievole, ma ti capita di avere momenti di introversione e riservatezza. Alcune delle tue aspirazioni tendono a essere davvero irrealistiche.

Sorrisi. Provavo la stessa sensazione, bella, quasi dimenticata, di certe scoperte durante viaggi in giro per il mondo, tanti anni prima.

– E sa da dove vengono le frasi usate da Forer per la compilazione del profilo?

– Me lo dica.

– Forer le prese da una rivista di astrologia. Dagli oroscopi.

– E Barnum? Cosa c'entra?

– Barnum diceva che i suoi spettacoli avevano enorme successo perché contenevano cosí tante attrazioni diverse che tutti trovavano qualcosa di loro gusto. Lo stesso valeva per lo pseudo profilo psicologico di Forer: c'erano cosí tante cose diverse che, in un modo o nell'altro, tutti vi si riconoscevano.

– Come c'entra con quello che fa lei?

– Ho una decina di frasi che rappresentano una serie di aspetti caratteriali. Le mescolo per descrivere i protagonisti dei miei racconti e stia sicura che chi legge scopre qualche motivo di immedesimazione. Poi ho anche dei pezzi di storie, dei personaggi che appaiono come comprimari... Insomma, faccio una specie di Lego narrativo usando la tecnica di quelli che leggono la mano, o i tarocchi, o che appunto scrivono gli oroscopi. Però non credo di essere disonesto. Il mio contratto riguarda la scrittura di un racconto. Non inganno nessuno, non mi attribuisco poteri paranormali, non sfrutto la credulità della gente. Vendo racconti e basta. Ognuno ci vede quello che vuole.

– A un prezzo onesto, – dissi quasi senza rendermene conto.

– Penso di sí.

– Perché mi ha raccontato queste cose? Si tratta di una specie di segreto professionale.

L'uomo appoggiò le mani sul tavolino, ai lati della macchina da scrivere, e sospirò come se la domanda lo avesse colto di sorpresa. Come se, in quel momento, lui stesso si stupisse di ciò che aveva fatto. Dopo qualche secondo scosse lentamente la testa.

– Non lo so.

– Non lo so è un'ottima risposta.

– Già, lo penso anch'io. Ma non è un'opinione troppo diffusa.

– E questo libro? – Ne presi una copia, la guardai e la rimisi a posto. Il titolo era: *Quando eravamo senza paura*.

– Il mio romanzo. Per anni ho mandato manoscritti alle case editrici e ho una collezione di rifiuti. Quasi tutti del tipo: «Grazie per averci sottoposto il suo lavoro che purtroppo non rientra nella nostra linea editoriale eccetera». Alcuni mi dicevano invece che erano entusiasti del mio romanzo, che erano impazienti di pubblicarlo e che avrei solo dovuto pagare un piccolo contributo di stampa. Duemila, tremila euro. Poi un giorno mi hanno risposto da questa casa editrice, – indicò il logo con il dito. – Hanno detto che il romanzo gli piaceva e che volevano pubblicarlo. Senza chiedermi soldi. Non sono grandi, ma bravi, molto seri; hanno un ottimo catalogo, soprattutto di narrativa straniera.

– Deve essere stato un bel momento.

– Può dirlo. Ho pensato che fosse arrivata la svolta della mia vita, mi sono immaginato il successo, le traduzioni, le tournée di presentazioni all'estero, il film...

– E invece?

– Quando riesci a pubblicare un libro pensi di essere arrivato, mentre sei appena all'inizio del percorso. Scrivere un romanzo è difficile; pubblicarlo è ancora piú difficile; venderlo – in un numero accettabile di copie – è la cosa piú difficile di tutte. Ce la fanno in pochissimi. Il libro arriva in libreria e viene messo da qualche parte, praticamente invisibile perché non sei nessuno e nessuno ti conosce, tantomeno il libraio. E siccome non sei nessuno l'ufficio stampa della casa editrice non riesce a ottenere recensioni, se non su qualche giornaletto sfigato o qualche rivista online. Ti tocca girare per le presentazioni; a tue spese, è naturale, l'editore non ci pensa nemmeno a spendere soldi per farti viaggiare. Agli incontri, che ti eri immaginato pieni di fan, ci capita qualche anziano che trascorre il tempo in libreria, qualche amico che hai invitato, pregandolo di venire, qualcuno che passava di lí per caso. Nel giro di un paio di mesi il tuo libro finisce sulle bancarelle, dai remainder o al macero.

– Ove mai mi venisse voglia di scrivere un romanzo.

– Vuole scrivere un romanzo?

– Non ci ho mai pensato. Ma direi di no. Soprattutto dopo queste informazioni.

Lui prese un biglietto da visita e me lo porse, tenendolo con due mani, alla maniera degli orientali. Lo ricevetti istintivamente allo stesso modo.

– Se dovesse cambiare idea, io tengo dei corsi di scrittura creativa.

– E con questi corsi si guadagna da vivere?

– Con i corsi, scrivendo i racconti e, siccome non basta, mi propongo anche come tuttofare. Per qualsiasi lavoro in casa – elettricità, idraulica, tinteggiature – io sono la persona giusta e costo poco. Solo, non posso rilasciare fattura.

Neanch'io rilascio fatture. Siamo tutti e due inesistenti per il fisco. Forse siamo inesistenti e basta. Fantasmi.

– C'è molta gente che si fa scrivere questi racconti da lei?

– Abbastanza. Certi giorni ne scrivo quattro o cinque.

– Come le è venuta l'idea?

– L'ho trovata in un libro. Si intitola: *Scrivere Zen*. C'è un capitolo in cui l'autrice parla di quando a volte si metteva a scrivere per strada, offrendo ai passanti brevi racconti su misura. L'idea mi è piaciuta e ci ho provato. Ormai sono un paio di anni, e ci sono perfino clienti che ritornano.

– Ne scriva uno per me.

Sorrise.

– Non posso, le ho svelato il mio segreto. Non puoi fare un gioco di prestigio se hai appena spiegato il trucco.

– Ha ragione. Allora compro una copia del suo libro.

– Questo sí.

– Deve farmi una dedica.

Annuí. Prese un volume e una penna stilografica che teneva vicino alla Lettera 22. – Come si chiama?

– Penelope.

Mi guardò per qualche istante, quasi volesse essere certo di aver capito bene o che gli avessi detto il mio vero nome o non so che altro. Poi aprí il libro alla pagina del frontespizio. Dalla mia posizione non riuscivo a leggere le parole che scriveva, ma distinguevo la grafia: accurata, elegante, un po' antiquata. Da penna stilografica, appunto.

Pagai, lo salutai e andai via. Lessi la dedica appena girato l'angolo:

> A Penelope, per l'inquietudine del suo sguardo.
>
> L'importante non è dove prendi le cose, è dove le porti (Jean-Luc Godard).
>
> Buona fortuna,
>
> gc

17.

Avevo deciso di cambiare orario di appostamento. Mi sarei piazzata davanti al portone di Lisa (ormai nei miei soliloqui mentali la chiamavo per nome, come se fossimo vecchie amiche) al tramonto, per imparare qualcosa sulle sue abitudini serali. Se usciva, con chi usciva, quali luoghi frequentava. E il giorno successivo sarei andata in palestra. Inutile dire che non avevo un piano preciso; in modo vago pensavo che l'unica possibilità per scoprire qualcosa fosse stabilire un contatto personale, e la palestra sembrava il contesto piú adatto per una conoscenza casuale non sospetta.

Ci misi piú tempo del previsto – almeno tre quarti d'ora – per trovare un posto adatto all'osservazione; intanto si erano fatte le sette. Finii il romanzo di Steve Martin e mi venne in mente una frase, non so di chi: capisci di aver letto un buon libro quando giri l'ultima pagina e ti sembra di aver perso un amico.

Ne avevo con me un altro, lo cominciai e, inevitabilmente, lo trovai fiacco e un po' noioso.

Il tempo prese a passare molto lento. Verso le nove mangiai la barretta che mi ero portata proprio nell'eventualità di fare tardi. Alle dieci provai a controllare se Lisa fosse in casa; a quel punto, con ogni probabilità, non sarebbe piú uscita, e io me ne sarei tornata da Olivia. Se fosse stata fuori, invece, avrei atteso fino al suo rientro. Magari l'accompagnava qualcuno, magari potevo prendere un numero di targa.

Sulla citofoniera c'erano ancora entrambi i nomi: Leonardi e Sereni. La cosa mi fece effetto. Schiacciai il pulsante e dopo una ventina di secondi sentii la sua voce, con una nota di perplessità dovuta all'ora, suppongo.

– Buonasera, le pizze. Mi apre?

Ci fu un attimo di pausa.

– Non ho ordinato una pizza.

Diedi un rapido sguardo agli altri nomi sul citofono e ne scelsi uno.

– Non è Spadaro?

– No, ha sbagliato, Spadaro è al piano di sopra –. Aveva un tono cortese.

– Scusi.

«Non ho ordinato una pizza». Il linguaggio non si presta a formulare conclusioni assolute, ma qualche spunto lo offre. Se dici «non ho ordinato una pizza» in genere significa che sei sola. Se ne stava sola a casa. Perché? Tornandomene all'auto pensavo alla nota di gentilezza nella sua voce. Mi aveva messo in imbarazzo. Spesso mi succede, con la gentilezza.

Lasciai l'auto lí dov'era e rientrai a piedi. Mi piace pensare che una passeggiata aiuti ad avere idee, a trovare soluzioni. Non so se sia vero; in realtà credo che le idee arrivino di sorpresa, di nascosto, e che uno se ne accorga nei momenti piú diversi. Però camminare mi dà una sensazione di freschezza, lucidità e di possibilità. Quindi va benissimo.

Dovevo procurarmi i tabulati del cellulare di Lisa, mi dissi. Ovviamente in modo illegale, visto che per me, nella mia condizione, non c'era un modo legale di ottenere certe cose. Avrei dovuto chiedere un piacere a qualcuno, e il primo che mi venne in mente fu Mano di Pietra, al secolo l'ispettore Rocco Barbagallo della Mobile, con cui ero rimasta in contatto. Mi era affezionato, non era il tipo da sottilizzare sul rispetto di regole e procedure e di sicuro aveva qualcuno che gli avrebbe passato sottobanco ciò che mi serviva. Non so per quale motivo, ma l'idea di rivolgermi proprio a lui mi mise a disagio. Forse perché avrei dovuto spiegargli a cosa servivano quei tabulati, e questo avrebbe significato fargli sapere in che ridicola impresa mi fossi imbarcata. Pensai allora a un ufficiale dei servizi di sicurezza: servizi segreti, per chi non ha dimestichezza con la terminologia ufficiale. Un uomo simpatico; nell'altra vita lo avevo frequentato per qualche mese finché lui – sposato – non si era messo in testa che stavamo facendo sul serio e aveva ipotizzato di lasciare la moglie. Perciò ero scomparsa per evitare danni. Scomparire è una cosa che mi è sempre riuscita molto bene. Sono un'artista della fuga, una Houdini delle relazioni sentimentali.

L'avevo rincontrato anni dopo quegli eventi. Non aveva mostrato risentimento, pareva dispiaciuto per quanto era successo, e sembrava sincero. Mi aveva anche detto che, se ne avessi avuto voglia, avremmo potuto pensare a una mia collaborazione con i servizi, a una consulenza; in pratica mi aveva offerto un lavoro. Lo ringraziai e dissi che no, non ne avevo voglia. Era la risposta che probabilmente si aspettava, non la prese male.

Sí, forse a lui avrei potuto chiedere il piacere dei tabulati ottenendolo senza troppa fatica. Ci avrei riflettuto, mi dissi, e intanto decisi di comprarmela io una pizza. Sarei tornata davanti a casa di Lisa l'indomani pomeriggio, portando con me il necessario per la palestra. Se l'avessi vista dirigersi là (immaginai che la frequentasse un giorno sí e un giorno no), l'avrei seguita dentro. Poi sarei andata a orecchio.

Mi appostai poco dopo le quattro. Trascorsero circa tre quarti d'ora e Lisa uscí in tuta, piumino e zainetto; aveva di nuovo i capelli legati a coda. La seguii molto a distanza, ma svoltai all'ultimo angolo in tempo per vederla entrare nella palestra. Dopo cinque minuti entrai anch'io. Consegnai il certificato medico all'aliena bionda della segreteria, che non diede segno di avermi riconosciuta. Attesi che attivasse il mio badge, feci scattare il tornello e mi ritrovai in una grande sala: su un lato c'erano tapis roulant, spin bike ultratecnologiche e altre complicate apparecchiature cardio. Nella sala accanto, invece, c'erano macchine da culturismo di ogni tipo e panche, manubri, bilancieri. In fondo si intravvedeva un ulteriore spazio libero nel quale dovevano tenersi i corsi. Mi guardai attorno, vidi Lisa che correva a ritmo blando su un tapis roulant e andai a cambiarmi.

Non entravo in uno spogliatoio forse da quindici anni. Facevo tutto da sola: ai giardini, in campagna, all'idroscalo, al parco del Ticino. O a casa, quando mi costringevano le condizioni atmosferiche. Trovarmi in mezzo ad altre donne che si preparavano ad allenarsi, che si spogliavano per fare la doccia, che si rivestivano mi diede una sensazione irreale, come per l'azione di una macchina del tempo che, dopo aver ruotato in maniera vorticosa, mi avesse depositato da qualche parte dove non mi aspettavo di ritornare. Fu strano, ma non spiacevole.

Rientrai nella sala cardio e Lisa era ancora lí, a trottare. Scelsi un'ellittica e cominciai a riscaldarmi, sempre tenendola d'occhio.

Un giovanotto nerboruto, col viso segnato dalle cicatrici dell'acne, le si avvicinò e le disse che potevano cominciare. Lei fermò il tapis roulant, fece *puff puff* (proprio cosí, come un fumetto), scese e lo seguí in sala pesi.

Aspettai cinque minuti e mi spostai anch'io. Facevano un tipico allenamento da signore, con pesi leggeri, elastici e movimenti a corpo libero; esercizi che io considero quasi del tutto inutili. Mi sistemai con un tappetino, non troppo lontano ma nemmeno troppo vicino. Eseguii qualche esercizio a terra, poi cominciai con degli squat normali, un paio di serie da venti. Una volta ben riscaldata – volevo dare nell'occhio, per provare ad attaccare discorso – passai a quelli che nel gergo del fitness si chiamano *pistol squat*: in pratica piegamenti su una sola gamba, mentre l'altra sta distesa e sollevata dal suolo. Non sono esattamente per principianti: richiedono forza, equilibrio e coordinazione. Come capita spesso quando faccio questa roba in presenza di pubblico, sentii gli sguardi posarsi su di me.

Un paio di ragazzoni in canottiera, con braccia come prosciutti e dall'aspetto vagamente bovino, si produssero in alcuni commenti ad alta voce. Niente di sgradevole, roba naïf, erano solo stupiti. Anche il personal trainer di Lisa mi guardava, e anche lei. Io finsi di essere assorta nell'allenamento e per avvicinarmi un po' all'angolo in cui si trovavano, e giustificare la mia presenza in quella sala, mi dedicai a qualche serie di manubri su panca (in generale trovo insulsi gli esercizi con i pesi).

Quando cominciai i piegamenti su un solo braccio mi accorsi di avere la loro totale attenzione.

Parlò Lisa, mentre ero seduta sul tappetino a riprendere fiato.

– Pensavo che questa roba potessero farla solo gli uomini.

Mi voltai, fingendo di accorgermi in quel momento della sua presenza.

– Lo pensano pure loro. Non solo per gli esercizi da palestra, anche per un sacco di altre cose.

Schiuse le labbra in una breve risata.

– Sei un'istruttrice?

– No.

– Come mai sei capace di fare queste cose?

– In un'altra vita ho praticato sport abbastanza seriamente.

– Cosa? – si intromise il personal trainer butterato.

– Atletica. Ho provato varie discipline, ma la mia specialità era il salto con l'asta.

Annuí con espressione professionale, come se gli avessi risposto esattamente quello che si aspettava.

– È chiaro che sai fare da sola. Comunque, se serve aiuto, chiamami. Sono qui in giro.

Il suo accento milanese era cosí forte da sembrare quasi caricaturale. Lo ringraziai, risposi che senz'altro lo avrei cercato, se avessi avuto bisogno. Lui diede ulteriori istruzioni a Lisa e si allontanò.

– Facevi salto con l'asta, – riprese lei. – Ecco perché hai questo fisico pazzesco. Non avrai mai il problema del tricipite moscio.

Scrollai le spalle accennando un sorriso. In effetti, fra le tante angosce che popolavano la mia mente, quella del tricipite moscio non si era mai affacciata.

– Io sono Lisa, – disse alzando una mano e agitandola in segno di presentazione e saluto.

– Penelope, – risposi dopo essermi domandata per un istante se fosse una buona idea usare il mio vero nome.

– Penelope, bello. Se avessi una bambina mi piacerebbe chiamarla cosí. Ma è una cosa sempre piú improbabile. Forse ormai dovrei dire: se avessi avuto una bambina. Tu hai figli?

– No. Perché è sempre piú improbabile?

– Ho trentasette anni.

– Be', oggi si fanno figli anche da molto piú grandi. Una mia amica ne ha avuto uno a quarantaquattro.

In realtà non avevo nessuna amica che fosse diventata madre a quarantaquattro anni. Anzi, per la precisione, all'epoca dei fatti non avevo amiche e basta.

– Il problema è che bisogna essere in due, – commentò lei.

– Non sembri il tipo di ragazza che ha difficoltà a trovare compagnia.

– Dipende dal tipo di compagnia che cerchi. Non so qual è la tua opinione, ma trovare un uomo non noioso e non ossessionato da quella cosa là è parecchio complicato. Li vedi questi? Mi sembrano uno piú scemo dell'altro. Alcuni sono anche dei bei manzi, – ridacchiò, – ma sono cosí ridicoli quando si mettono davanti allo specchio per controllare che i muscoli siano tutti a posto. Il contrario di come dovrebbe essere un maschio.

– Difficile darti torto.

– Vieni qui da molto? Non ti ho mai vista.

– Oggi è la prima volta.

– Ah, mi sembrava infatti. Io ci vengo da anni, è una buona palestra, pulita. Gli istruttori sono bravi, ma a te probabilmente questo non interessa.

Le cose stavano andando troppo in fretta. Non avevo previsto che fosse tanto socievole e non ero preparata a gestire una conversazione del genere; non avevo pensato a cosa dirle, e soprattutto a cosa non dirle, se avessimo continuato a chiacchierare e mi avesse posto qualche altra domanda. Perché mi ero iscritta proprio lí? Lavoravo da quelle parti? Ci abitavo? Eccetera.

– Scusa, parlo un sacco. Ti ho fatto interrompere l'allenamento.

– Nessun problema. È stato un piacere conoscerti. Vieni qui sempre a quest'ora?

– Sí, sono molto regolare. Lunedí, mercoledí e venerdí dalle cinque alle sei, se non ho imprevisti.

Buono a sapersi, mi dissi.

– Bene, adesso ricomincio. Allora ci vediamo uno di questi giorni.

Cinque anni prima

Arrivai alla Digos e raggiunsi Capone e Calvino nell'ufficio di quest'ultimo.

– Il tizio è già qui da noi, dottoressa, – disse il dirigente.

– Come ha reagito quando vi siete presentati da lui?

– Ha chiesto se era indispensabile venire proprio oggi pomeriggio. Capone gli ha confermato di sí e lui ha domandato per quale motivo volevamo parlargli. Ma racconta tu, Capone.

– Gli ho risposto che non ero autorizzato a riferirlo, che lo avrebbe saputo dal pubblico ministero. Arrivati qui mi ha chiesto se aveva bisogno di un avvocato. Gli ho detto di non preoccuparsi, che era stato convocato solo come persona informata sui fatti.

– È tranquillo?

– Mi pare di sí. Comunque, secondo me ha capito.

– Va bene, andiamo a sentirlo.

L'architetto massone Mario Ferrari non era alto di statura, aveva una bella faccia da cialtrone simpatico e tantissimi capelli bianchi con un taglio anni Settanta. Dava l'impressione di uno con cui è divertente passare una serata a cena. Appena ci vide entrare nella stanza in cui l'avevano lasciato ad attendere si alzò di scatto, si presentò e mi baciò la mano con grande naturalezza.

– Si è fatto un'idea sul perché di questa convocazione?

– Veramente no, – rispose dopo aver esitato un attimo.

– No?

– No, davvero.

– Vede, architetto, a noi che facciamo gli investigatori piace pensare di essere capaci di distinguere quando qualcuno dice la verità e quando, forse, no. E ci piace catalogare i comportamenti da cui, forse, si può desumere che il nostro interlocutore non è del tutto sincero. Gliene elenco qualcuno?

– Se... se vuole... certo.

– Quando il nostro interlocutore fa precedere un'affermazione da avverbi come «veramente» o «davvero» o «sinceramente», be', allora ci insospettiamo un po'. Perché spesso, non sempre, ma spesso, l'uso di questi avverbi esprime un tentativo di occultare la verità, in tutto o in parte. Se uno sta dicendo la verità non sente quasi mai il bisogno di accompagnare le proprie affermazioni con simili avverbi. Mi segue?

– La seguo, sí.

– Dunque, le rifaccio la domanda: si è fatto un'idea del motivo della convocazione?

Ferrari mi fissò.

– Dottoressa, mi mette in difficoltà.

Sospirai in modo forse un po' teatrale. Quindi tirai fuori dal fascicolo una copia dell'esposto e gliela misi davanti.

Lui guardò il primo foglio, poi me, poi Calvino e Capone.

– Come avete fatto? – domandò dopo un interminabile minuto.

Calvino si voltò verso di me, io annuii.

– Perché non ci racconta qualcosa di piú? – disse allora il dirigente.

Ferrari espirò platealmente e lasciò cadere le spalle. Indossava un abito di ottimo taglio, una camicia bianca, una cravatta regimental molto elegante e sobria; questo apparato costoso e accurato parve sconnettersi per qualche istante, disarticolarsi, perdere la coesione con il personaggio.

Si raddrizzò sulla sedia, come se avesse attraversato un cambiamento impegnativo e ne fosse uscito integro.

– Io sono disponibile a parlarvi, ma voglio essere chiaro dall'inizio: non metto nulla a verbale e negherò fino alla morte di essere l'autore di questo, – disse spostando i fogli sul tavolo e allontanandoli da sé.

Mi sporsi verso di lui.

– Faccio il magistrato. Non ho la possibilità di raccogliere dichiarazioni confidenziali, questo può farlo solo la polizia giudiziaria. Quello che mi viene detto io *devo* verbalizzarlo, architetto.

Non stavo dicendo tutta la verità. In piú di una occasione avevo raccolto dichiarazioni confidenziali e in generale avevo fatto quello che, in via teorica, un pubblico ministero non dovrebbe fare mai: mi ero sostituita alla polizia giudiziaria violando un bel po' di miei doveri formali. A fin di bene, per il migliore risultato delle indagini, mi ero sempre ripetuta, giudicandomi e assolvendomi.

Qualcuno ha detto: ogni bugia che ti racconti è un solco all'anima. Posso certificarlo, vale in tutti i campi.

– Con il massimo rispetto, dottoressa, ma se io non le dico niente, non ha niente da verbalizzare.

– Se le chiedo di confermare e chiarire il contenuto dell'esposto?

– Negherò di averlo scritto e inviato. Poi lei potrà mettermi sotto processo per falsa testimonianza o calunnia o non so che altro, e io potrò chiamare un avvocato e potrò avvalermi della facoltà di non rispondere. E la vostra indagine non proseguirà. Non con il mio aiuto, almeno.

Repressi un moto di irritazione. Ho sempre detestato rimanere a corto di argomenti. Per qualche istante pensai di minacciarlo di arresto, ma mi resi subito conto che non era una buona idea. Sarebbe stato un bluff (non c'era modo di arrestarlo) e i bluff si fanno di rado, solo quando sei certo che l'altro non avrà il coraggio di venire a vedere le tue carte. In estrema sintesi, le cose stavano come aveva detto Ferrari. Io gli contestavo di essere l'autore dell'esposto chiedendogli di confermarne e chiarirne il contenuto? Lui negava, io verbalizzavo, gli contestavo il contenuto delle indagini (contenuto che avrei dovuto far formalizzare, visto che, per il momento, si trattava solo di informazioni che Capone mi aveva riferito a voce), lui continuava a negare, io lo ammonivo a dire la verità altrimenti lo avrei indagato per false dichiarazioni al pubblico ministero. Lui continuava a negare inventandosi magari qualche ragione per cui era andato a usare i computer di un posto pubblico invece di quelli di casa o dello studio. A quel punto io ero costretta a sospendere l'atto e buonanotte.

Fu lui stesso a interrompere il flusso dei miei pensieri.

– Dottoressa, mi consenta. Io posso dirvi cose utili, approfondire quello che avete letto nell'esposto, darvi un'idea dei ruoli, delle gerarchie, del sistema di potere. E voi avrete modo di utilizzare le mie informazioni per cercare delle prove. Non sono a conoscenza di veri e propri reati, ma sono sicuro che ne siano stati commessi. Quello che vi offro è uno sguardo sul contesto, poi voi farete il vostro lavoro.

– Perché vuole raccontarci queste cose?

– Per le stesse ragioni che dice l'anonimo autore dell'esposto. Questa gente è una minaccia per la democrazia. Io non sono uno scolaretto; negli anni, per fare il mio lavoro, ho dovuto smussare qualche angolo. Non sono nato ieri, insomma, non sono una creatura innocente, ma l'idea di un sodalizio che mira a influenzare tutto, dalle nomine dei primari a quelle dei procuratori della Repubblica, mi sembra ripugnante. Vengo da una vecchia famiglia socialista e, forse in modo romantico, mantengo una passione per certe convinzioni.

– Lei ha già avuto a che fare con la giustizia?

Sogghignò.

– È capitato, ma sempre di striscio. Tangentopoli era già passata quando ho cominciato a lavorare seriamente con la mia impresa. Diciamo che ho schivato qualche proiettile e che pochi anni prima non ci sarei riuscito. Quasi nessuno ci è riuscito, per la banale ragione che, metaforicamente, ne volavano troppi.

Scambiai un'occhiata con Capone e Calvino.

Decidendo di accettare la sua proposta, di mantenere confidenziali le sue dichiarazioni, avrei dovuto allontanarmi e lasciare quel lavoro agli ufficiali di polizia giudiziaria. Il codice consente solo a loro, non al pubblico ministero, che è un magistrato, la facoltà di raccogliere informazioni senza verbalizzare e senza indicare le generalità del confidente. È uno strumento fondamentale per le indagini che si colloca in quella zona grigia al confine fra lecito e illecito.

Un magistrato non può, come avevo spiegato. Se fai il pubblico ministero e ricevi una dichiarazione, devi verbalizzare. Sarei dovuta uscire dalla stanza. Sarebbe stata una scelta corretta e saggia. Forse avrebbe evitato quanto accadde dopo. O forse no. Comunque, non la feci, quella scelta corretta e saggia.

– Va bene, ci racconti.

– Ho la sua parola che non metterà a verbale?

– Ha la mia parola.

– Mi assicura che non state registrando?

Lo guardai dritto in faccia, come per chiarire che stava esagerando. Lui colse, annuí e cominciò a raccontare.

18.

Il venerdí, piú o meno alla stessa ora, tornai alla palestra.

Stavo correndo svogliata su un tapis roulant quando Lisa entrò nella sala. Mi salutò amichevolmente e cominciò a correre anche lei, vicino a me. Poi ci spostammo insieme nella sala pesi. Quel giorno il personal trainer butterato non c'era, e lei mi chiese di darle un'occhiata, per controllare che l'esecuzione dei suoi esercizi fosse corretta.

A un certo punto un gruppetto di tizi muscolosi, perlopiú vestiti con magliette tecniche ultra aderenti e parecchio ridicole, si radunò vicino alle barre per trazioni. Lisa li indicò con un cenno.

– Quegli scimmioni fanno la loro solita gara.

– Che gara?

– A chi fa piú trazioni e piú flessioni sulle braccia. Perché non partecipi anche tu?

– Ma figurati.

– Perché no? Mi urta i nervi tutto questo spargimento di testosterone. Sono cosí vanitosi e patetici. Dagli una lezione.

– No, lascia perdere.

Ignorò la mia risposta e, prima che potessi impedirglielo, si avvicinò al gruppetto.

– Fate partecipare anche lei. Cosí vediamo qual è il sesso forte.

Quelli mi guardarono, poi si guardarono tra loro. Partirono, inevitabili, i sorrisini. Uno, molto grosso, con braccia inutilmente ipertrofiche, disse perché no, se me la sentivo. La prudenza avrebbe suggerito di evitare, non era il caso di farmi notare troppo. Ma una parte di me bruciava dalla voglia di partecipare e, come aveva detto Lisa, di dargli una lezione.

– Va bene, giochiamo, – dissi, sciogliendomi le spalle con noncuranza.

Si cominciava con le trazioni. Perché il movimento fosse considerato valido era necessario superare la barra con il mento e ridiscendere completamente con le braccia distese. Quando tutti terminavano il giro delle trazioni si passava ai piegamenti: in questo caso bisognava sfiorare il pavimento con il petto. Se qualcuno pensò che potevo essere avvantaggiata dal seno, non lo disse.

Nel conteggio finale le trazioni valevano due punti, i piegamenti uno.

Mi chiesero se volessi cominciare io. Risposi che preferivo essere l'ultima.

La maggior parte erano attorno ai trent'anni, poco sopra, poco sotto, ma ce n'erano anche due sulla cinquantina, entrambi scolpiti in modo imbarazzante. Erano cosí perfetti da apparire grotteschi, un tipo di uomini che considerano il proprio corpo un tempio e sé stessi la divinità da adorare.

Il primo fece quindici trazioni; il secondo dodici; il gigante super muscoloso, come era prevedibile, non andò oltre le dieci, dovendo sollevare un volume enorme; uno dei cinquantenni ne fece sedici, l'altro quattordici; un ragazzo dalla faccia simpatica solo otto, ma non sembrava gli importasse. Quindi toccò a un tizio dall'aria ispanica, asciuttissimo, scuro di carnagione, con le tipiche orecchie a cavolfiore di chi pratica arti marziali miste. Si tirò su ventiquattro volte; probabilmente avrebbe potuto continuare, probabilmente sarebbe stato capace di eseguire le trazioni anche con un braccio solo. Infine venne il mio turno. Pensai a me stessa leggera come l'aria, come facevo tanti anni prima quando mi preparavo a saltare con l'asta in una gara. Respirai a fondo un paio di volte e con un piccolo balzo mi aggrappai alla barra. Qualcuno cominciò a contare, a voce alta. Uno, due, tre, quattro, cinque, sei, sette, otto, nove, dieci, undici, dodici, tredici, quattordici. Stavo per esaurire le forze. Rimasi distesa per qualche attimo, poi mi tirai su di nuovo. Quindici. Sedici. Ancora distesa. I dorsali mi bruciavano. Dopo un lungo respiro tentai la diciassettesima, che mi avrebbe messo al secondo posto, ma a metà della salita i muscoli cedettero e dovetti lasciarmi cadere. Tutti erano diventati alquanto silenziosi e dai vari spazi della palestra si era avvicinata un po' di gente per assistere alla gara.

Passammo ai piegamenti sulle braccia, che non sono semplicissimi da fare dopo che ti sei spezzata le braccia tirandoti su alla sbarra. Ancora una volta i migliori furono uno dei cinquantenni scolpiti, che ne fece quarantadue, e il ragazzo ispanico che, senza sforzo apparente, arrivò a piú di sessanta. Quando toccò a me sapevo di battermi per il secondo posto; l'ispanico era di un'altra categoria come era stato chiaro da subito.

Le prime trenta vennero via con relativa facilità. Poi le braccia si irrigidirono. Trentadue, trentatre, trentaquattro. La benzina si stava esaurendo, mi fermai con le braccia distese per raccogliere le ultime forze. Trentacinque. Trentasei, trentasette. Tentai la trentottesima, ma finii faccia a terra. Le pulsazioni erano cosí violente che mi sembrava di avere un pistone in ciascuna tempia. Mi rialzai arrancando, aiutata da uno dei ragazzi. Bofonchiai, un po' infantile, che senza l'handicap delle trazioni avrei potuto continuare ancora parecchio.

– Mai visto una donna fare una cosa del genere, – disse qualcuno.

– Era una campionessa di salto con l'asta, – disse qualcun altro, esagerando un po' senza saperlo.

– Sei stata incredibile, in pratica è come se avessi vinto tu. Il ragazzo sudamericano è un professionista di arti marziali e quello piú vecchio è un istruttore. Fanno questa roba di mestiere, – disse Lisa quando l'assembramento si fu disperso e ci ritrovammo da sole lei e io. Poi mi domandò: – Che fai adesso?

– Adesso, prima di tutto, direi che la mia seduta di allenamento è conclusa, quindi vado a farmi una doccia, – risposi mostrandole le braccia, che tremavano forte.

– Hai impegni dopo?

– Sono abbastanza libera, perché?

– Allora dài, aspettami. Finisco la scheda e andiamo a prendere un tè a casa mia. Abito qui vicino, ci facciamo due chiacchiere in pace.

Era lesbica? Cercava di rimorchiarmi? E se no, perché mi stava invitando da lei? Certo, era stata sposata, ma questo non era un argomento conclusivo. Mi vennero in mente almeno un paio di famosi matrimoni fra uomini anziani e potenti e giovani donne belle e lesbiche, anche se non dichiarate. Va bene, se avesse cercato di sedurmi le avrei spiegato con garbo che avevamo gusti differenti. Del resto, entrare in quell'appartamento, parlare con comodo e a lungo con lei, magari raccoglierne le confidenze, erano opportunità che non potevo lasciarmi sfuggire. Non rimaneva altro da aggiungere.

– Perché no?

19.

Nell'androne c'erano alcune piante ben curate, fra le quali riconobbi – un ricordo da un passato remoto e impreciso – delle lingue di suocera. Il legno dei corrimani, della postazione di portineria e delle boiserie era lucidato, dava un senso di solidità, di pulizia. Il tutto – esterni e interno – pareva una sorta di epitome architettonica di Milano, della sua borghesia, di un'idea delle gerarchie sociali, del concetto di ordine. Una specie di rassicurante manifesto ideologico.

Mentre eravamo in ascensore per raggiungere il sesto piano avvertii, fortissimo, un formicolio alla nuca. Stavo per visitare la scena del crimine, se crimine c'era stato. In realtà la mia era poco piú che una suggestione, essendo trascorsi quasi due anni dall'episodio. Ma l'idea che recarsi sul posto ci permetta di cogliere delle vibrazioni, ci suggerisca – quasi in modo medianico – buone ipotesi o addirittura soluzioni, è difficile da abbandonare. Vale per gli investigatori da romanzo o da film ma, spesso, anche per quelli del mondo reale.

La porta d'ingresso dava su una grande cucina-soggiorno, luminosa, con mobili costosi in legno e alluminio e un ampio tavolo-isola al centro. Il lavoro di un architetto, pensai poco prima che me lo dicesse lei. Non vidi altre stanze e non ebbi modo di percepire alcuna vibrazione che mi suggerisse medianicamente la soluzione del caso. Insomma, il formicolio alla nuca andò sprecato, quel pomeriggio.

– Vado a fare la doccia, ci metto cinque minuti. Mettiti comoda, appena torno preparo il tè, o il caffè, se preferisci.

– Il tè va benissimo.

Mi guardai attorno. La cucina era ordinata e pulita. Sugli scaffali, oltre ai soliti oggetti – barattoli, stoviglie, utensili – c'erano anche dei libri. Qualche romanzo giallo, qualche manuale di fitness o sull'alimentazione sana, qualche saggio di psicologia popolare. Lisa leggeva, evidentemente. Non saggi di semiotica o di filosofia analitica, non Kafka e Musil, ma leggeva. La cosa non era scontata e definiva un altro tassello divergente rispetto all'idea astratta che mi ero formata di lei prima di conoscerla. Diedi anche un'occhiata nel frigo: c'erano frutta, verdura, cibi proteici vegetariani, latte di soia ma anche uova e formaggio. E due bottiglie di vino bianco, una delle quali aperta.

Rientrò quando stavo pensando di aprire la finestra e fumarmi una sigaretta. Indossava jeans scoloriti e una maglietta bianca che metteva in evidenza il bellissimo seno. Aveva un aspetto solare e a guardarla, in quel momento, non sembrava affatto il tipo dell'avventuriera che sposa un uomo ricco e vecchio mirando all'eredità. Perciò ero curiosa di capire chi fosse davvero, per quale motivo mi avesse invitato a casa sua, perché fosse cosí cordiale e amichevole. Magari aveva intuito tutto, sapeva chi ero e stava facendo una specie di gioco del gatto con il topo. Era improbabile, mi risposi, ma non impossibile.

Accese un bollitore elettrico celeste e prese una scatola di latta colorata piena di bustine di ogni genere.

– A me piace il tè bianco.

– Va bene anche per me.

– Zucchero, miele, dolcificante, un biscotto allo zenzero?

– Niente, grazie.

Sembrava molto a suo agio, come fossimo vecchie amiche

che si vedono regolarmente per due chiacchiere. All'improvviso mi fissò.

– Posso dirti una cosa che magari ti suonerà strana?

– Vai.

– Adesso mi è venuto in mente... magari pensi che ti abbia invitata a casa perché sono lesbica.

La guardai senza replicare nulla, ma mi scappava da sorridere.

– Non sono lesbica, – precisò. – Ti ho invitata perché mi sei stata subito molto simpatica, non è una cosa che mi capita spesso. Frequento gente, ma in fondo credo di essere una persona piuttosto sola. Non entro davvero in contatto con nessuno. Quasi mai. Con te mi è venuto spontaneo.

Bevve un sorso di tè.

– Mica sei tu lesbica? – domandò poi, come sorpresa da un pensiero che doveva essere ovvio.

– No. In astratto mi piacciono gli uomini. In concreto la questione è piú complicata, mettiamola cosí –. Presi un lungo respiro, invisibile, e proseguii. – Vivi sola in questa casa? Compagni, mariti?

Scosse il capo. Diventò seria. Parve per qualche istante chiedersi quanto e cosa raccontare.

– Sono vedova.

– Ah, mi dispiace. Da quanto tempo?

– Sono quasi due anni. Lui però era piú vecchio di me. Parecchio.

La guardai annuendo, in attesa.

– Un infarto, un giorno che non ero a Milano. Ho avuto un sacco di sensi di colpa per questo, ho pensato che, se non fossi partita, magari avrei potuto aiutarlo, magari sarebbe andata diversamente.

– Il senno di poi è una pessima strategia per interpretare la vita. E i sensi di colpa non sono mai una buona idea.

– Sí, lo so. In teoria è giusto.
– Ma la pratica è diversa, certo. Sono un'esperta.
– La mia analista dice che a volte c'è anche del narcisismo nel senso di colpa.
– Credo di sí.

Continuammo a chiacchierare. Le chiesi cosa facesse e mi rispose che al momento non faceva nulla. Prima di sposarsi aveva lavorato un po' nel cinema, un po' in televisione, senza mai sfondare. Adesso passava le giornate indecisa sulla direzione da dare alla propria esistenza. Poi mi chiese cosa facessi io; ero preparata a una simile eventualità. Le raccontai che ero stata avvocato in un grande studio. All'improvviso mi ero resa conto che non mi piaceva piú, avevo lasciato e mi ero presa un anno sabbatico che poi si era un po' prolungato. Mi ero resa conto in ritardo che studiare diritto non era stata una buona idea, che non mi corrispondeva eccetera. Per fortuna avevo due appartamenti, ereditati dai miei genitori, che mi garantivano una piccola rendita; questo mi permetteva di prendermi il tempo per pensare. Non avevo un fidanzato, ogni tanto mi capitava di frequentare qualcuno, ma piú passava il tempo piú era difficile trovare una persona che ne valesse la pena.

In questa storia cose vere e cose inventate si mischiavano in maniera indissolubile. Narrai la mia autobiografia fittizia con tale convinzione che quasi quasi ci credevo anch'io. Dopodiché mi dissi che, per quel pomeriggio, poteva bastare. Non era il caso di spingersi oltre. Se volevo approfondire la conoscenza e provare ad acquisire qualche informazione in piú – possibilmente utile per l'indagine che stavo svolgendo – era necessario rimandare a un nuovo incontro, dopo che quel principio di confidenza si fosse sedimentato. Sempre che Lisa non fosse molto piú furba di me e non mi stesse prendendo in giro.

Guardai l'orologio. Lei lo notò.

– Devi andare?

– Credo di sí. Ho una visita medica –. Non so perché aggiunsi quella inutile bugia. Forse perché, quando cominci a mentire, per gioco o per necessità o per vigliaccheria, diventa difficile smettere. La bugia diventa una modalità ordinaria e invasiva; come certe erbacce cresce dappertutto prima che uno se ne renda conto.

Va bene, scusate, divago con speculazioni da quattro soldi.

– Problemi? Scusa se sono indiscreta, – chiese.

– No, figurati. Ginecologa, routine.

– Meno male. Che dici, una sera di queste facciamo una cenetta qui da me? Magari anche domani, se non hai impegni? Non sono una gran cuoca, ma alcuni piatti mi riescono bene. Ti piace il tofu?

– Dipende, – risposi circospetta. Di regola detesterei il tofu.

– Ho una ricetta di mia creazione, il tofu croccante. Devi provarlo. Tu porti una bottiglia di vino – lo bevi il vino, vero? – e io cucino.

Dissi che il vino lo bevevo (alquanto) e che l'idea del tofu croccante (un ossimoro) mi incuriosiva. Cosí ci scambiammo i numeri – memorizzai il suo ripromettendomi di controllare se fosse lo stesso che mi aveva dato Marina – con l'accordo che ci saremmo sentite il giorno dopo per conferma.

20.

In tarda mattinata arrivò il messaggio di Lisa. Se per me andava ancora bene, lei sarebbe stata felice di avermi a cena, alle otto. Era scritto in italiano corretto, senza errori, senza abbreviazioni, senza faccine, con la punteggiatura. Qualcuno dice che un messaggio compilato in questo modo è un segno di anzianità, di non appartenenza alla comunità dei giovani. Forse, considerando la cosa da una certa prospettiva. Ma da un'altra, scrivere con attenzione anche un testo minimo come un messaggio WhatsApp può essere un indizio di... be' di attenzione, appunto. Una delle doti morali piú sottovalutate.

Risposi che mi andava bene, che avrei portato il vino e che sarei stata da lei alle otto.

Cercai di riflettere su come approfittare di quell'opportunità; provai a immaginare un piano d'azione. Durò poco. Non avevo idea di chi fosse Lisa; ignoravo per quale motivo fosse cosí cordiale con me; ignoravo se avesse a che fare con la morte del marito (lo consideravo improbabile). Insomma, non potevo fare altro che improvvisare e vedere cosa accadeva, lasciando perdere le strategie. Al proposito la mia opinione coincide con quella del filosofo Mike Tyson: «Everybody has a plan, until they get punched in the face», tutti hanno un piano, fino a quando non prendono un pugno in faccia.

Nel primo pomeriggio andai ai giardini per allenarmi, sperando di incontrare Alessandro, ma lui non venne. Avrei voluto chiamarlo o mandargli un messaggio, però lo avevo già fatto io una volta e pensai che se non si faceva sentire, evidentemente, non aveva voglia di vedermi. Questo era un peccato.

Stavo per entrare in una classica – classica per me – spirale di autocompatimento, rabbia, ulteriore autocompatimento, quando arrivò la sua telefonata.

– Ciao, forse sei ai giardini.

– Ciao, sí. Sto per andarmene.

– Dovevo venire ma ho avuto un contrattempo.

Ci fu silenzio per qualche secondo. Esitavamo entrambi. Stavo per dirgli che il libro mi era piaciuto molto quando fu lui a parlare di nuovo.

– Domani c'è l'inaugurazione di una mostra fotografica di una mia amica. Ti andrebbe di venirci con me?

– Domani a che ora? – chiesi per darmi un tono. Qualsiasi ora sarebbe andata bene, visto che non avevo nulla da fare dalla mattina alla sera.

– Nel pomeriggio, verso le diciotto. Sei impegnata?

In effetti sí, ho un mio classico pomeriggio di domenica denso di appuntamenti, ma essendo una grande appassionata di fotografia cercherò di annullarli tutti per venire a questa inaugurazione.

– No, niente impegni domani pomeriggio. Vengo volentieri, grazie.

– Allora ci incontriamo alle sei alla metro Lima, oppure davanti al teatro dell'Elfo. La galleria è lí a due passi.

– Va bene il teatro.

– Ottimo, a domani.

21.

Prima di entrare in ascensore riepilogai la parte che avrei recitato e mi godetti qualche stupido istante di eccitazione per essere arrivata fin lí, per essere riuscita, almeno, a far accadere qualcosa.

Lisa pareva davvero felice di vedermi.

– Ti sei ricordata il vino, brava. Io non so sceglierlo, lo bevo volentieri ma non ci capisco niente.

– È pugliese, un primitivo. A me piace molto, è piuttosto forte, però.

– Ottimo, magari ci ubriachiamo. È tanto che non mi capita. Ti dispiace se stiamo in cucina? È la mia stanza preferita. Esiste una vera sala da pranzo, ma da quando non c'è piú Vittorio non la uso mai.

– Anch'io preferisco sempre mangiare in cucina.

– In pratica, delle cinque stanze di questo appartamento, io ne uso soltanto due. Le altre mi sembrano estranee, non mi ci sento a mio agio. La camera da letto di mio marito l'ho trasformata in una specie di palestra.

– Non dormivate insieme?

– No, stanze separate, è stata una mia richiesta. Non mi è mai piaciuto dormire con qualcun altro.

– E perché proprio una palestra?

– Non lo so. Mi faceva impressione pensare che su quel letto avevano trovato lui morto. Cosí ho tolto i mobili e ho fatto montare un tapis roulant e una di quelle macchine con cui puoi eseguire ogni tipo di esercizi; però non ci entro mai lo stesso.

Ha cancellato ogni traccia, mi dissi. Un pensiero idiota – non c'era bisogno di smantellare la camera da letto per eliminare eventuali, ipotetiche prove dell'omicidio, dopo tanto tempo sarebbero scomparse comunque – però saltò fuori lo stesso, come per un riflesso condizionato. Lei non si accorse del mio improduttivo monologo interiore e proseguí.

– Forse, quando avrò sistemato un po' di cose nella mia vita, farò bene a cambiare casa.

Mi trattenni dal chiederle quali cose dovesse sistemare. Probabilmente si riferiva alla controversia sull'eredità, che poteva essere un discorso interessante. Però non volevo apparire troppo curiosa e insospettirla, cosí annotai mentalmente lo spunto ripromettendomi di tornarci su.

– Vuoi aprire il vino? – mi chiese. – In quel cassetto c'è il cavatappi e lí sopra ci sono i calici. Io comincio a preparare. Ti ho avvertita, vero, che sono quasi vegetariana?

– Che significa: quasi? – domandai mentre stappavo la bottiglia.

– Non mangio carne e mangio poco pesce. Solo ogni tanto un piatto di spaghetti alle vongole e, se capita, un po' di sushi. Ma in generale le proteine le prendo dai legumi, dal formaggio, dalla soia. Molto dal tofu che ti faccio assaggiare stasera.

Versai il vino nei calici e gliene passai uno.

– Spiegami un po' questa ricetta del tofu.

– A proposito: mangi il piccante?

– Direi di sí.

– Bene. Allora, faccio un soffritto con un tritato di aglio, zenzero, peperoncino abbondante e naturalmente olio. Poi aggiungo la cipolla. Dopo ancora carote e broccoli tagliati a pezzettini e anacardi sminuzzati. Prendo il tofu che ho preparato in precedenza, lo strizzo per far uscire l'acqua, lo taglio a cubetti e lo passo nell'amido di mais: serve a renderlo croccante quando lo metto in padella – una padella a parte – per imbiondirlo... Ma il vino che hai portato è buonissimo, e non abbiamo fatto un brindisi.

– A cosa brindiamo?

– Alle nuove amicizie, – rispose, toccando il mio calice con il suo.

– Alle nuove amicizie, – ripetei io.

– A questo punto, – riprese, – verso della salsa di soia nella padella in cui ho preparato il soffritto e lascio ridurre. Aggiungo i cubetti di tofu croccante e i *noodles* che ho preventivamente calato in acqua bollente per tre minuti e faccio saltare. Per concludere, olio di sesamo crudo e sesamo tostato.

Il tofu croccante di Lisa era delizioso. Uno dei piatti orientali (anche se in realtà non era orientale, visto che la ricetta era di sua invenzione) piú deliziosi che avessi mai assaggiato. Terminata la mia porzione ne chiesi un'altra e finii anche quella. C'era un'atmosfera cosí piacevole e rassicurante, qualcosa che non sperimentavo da tanto tempo.

– Sono contenta che ti piaccia, – mi disse. – È bello cucinare per gli altri, purtroppo non ho tante occasioni per farlo.

– Perché?

– Perché ho poche amiche e forse un solo amico, gay. Tutti hanno le loro vite, le loro famiglie e non ci si vede molto.

– Nessun fidanzato?

– No. Dopo la morte di Vittorio non ho incontrato nessuno. Voglio dire: nessuno che mi piacesse.

– Ci sarà la fila, di quelli che non ti piacciono.

– Non credere.
– Come mai?
– Non so, forse si accorgono che non sono disponibile.
Bevvi un sorso di vino. Mi venne una gran voglia di una sigaretta ma mi sembrava improbabile che lí dentro si potesse fumare.
– Quanto tempo sei stata sposata?
– Meno di tre anni.
– L'altra volta mi hai detto che tra te e tuo marito c'era parecchia differenza di età.
Sollevò il suo calice vuoto per lo stelo e lo osservò con esagerato interesse, come se potesse nascondere un segreto. – Parecchia, sí... – rispose come sovrappensiero.
– Se non ti va di...
– No, no, anzi. Ho voglia di parlare. Non mi capita mai.
Svuotai la bottiglia, dividendo in parti uguali quello che rimaneva, e le indirizzai un cenno col capo che significava: io sono qua.
– Mio marito era davvero molto piú grande di me. Non so perché, quando era vivo la cosa non mi metteva a disagio, adesso invece sí. Adesso quasi mi vergogno a dirlo.
– Quanto piú grande?
Fece un sorriso nervoso, poco piú che una smorfia. Bevve ancora del vino.
– Trentatre.
– Be', sono abbastanza in effetti. Com'è nata la vostra storia?
– C'era un convegno organizzato da una casa farmaceutica, mi avevano assunto per presentare la serata finale, una specie di talk show. Una delle marchette che facevo per vivere. Lui era uno dei relatori: era un chirurgo importante. L'ho conosciuto lí. Mi ha chiesto il numero, mi ha fatto una corte spietata – fiori, gioielli, inviti a cena in

ristoranti stellati – e l'ha fatta bene. Insomma, dopo nemmeno un mese ho ceduto, poi le cose sono andate sempre piú veloci e mi ha proposto di sposarlo.

– E tu?

– Mi sono detta che non accettare sarebbe stato un errore.

– Perché?

– Non serviva un genio per fare un calcolo dei pro e dei contro e concludere che i pro erano molti di piú. Ho riepilogato quello che avevo combinato nella vita fino a quel momento – poco di concreto – e ho pensato al mio futuro. Non ero innamorata di lui, non l'ho sposato per amore, se occorresse precisarlo.

Mi scrutò. Forse cercava di capire che effetto mi facevano quelle rivelazioni. La mia espressione diceva che da tempo avevo smesso di giudicare.

– Dovremmo aprire un'altra bottiglia di vino. Oppure passiamo al rum con la cioccolata? Praticamente un'orgia, – disse con un tono di allegria forzata.

– Vada per l'orgia.

Andò a prendere una bottiglia di rum e una tavoletta di cioccolata fondente al 75 per cento.

Notai che la bottiglia era vuota a metà. Poteva significare tutto e niente, era comunque uno di quei dettagli da annotare. La cioccolata era buona ma il rum – veniva dalle Filippine – era sopraffino, quasi dolce, una specie di nettare.

– Tra l'altro, – riprese, – non so se sono mai stata davvero innamorata. Ho alcuni ricordi lontani, di quando ero ragazzina, ma anche quelli, adesso, mi sembra fossero delle recite, delle simulazioni. Nemmeno so bene cosa vuol dire essere innamorati. A volte questo mi fa paura. Altre volte penso che sono fatta cosí e pazienza, mi devo rassegnare. Magari ho un difetto di fabbricazione qui –. Si toccò all'altezza del cuore con il pugno chiuso. – Non so se capisci cosa intendo. E a essere sincera non so neppure perché ti sto raccontando queste cose. Tu lo sai?

– No. Però credo di capire. Anche a me succede di domandarmi se ho mai amato qualcuno.

– E cosa ti rispondi?

– Piú o meno quello che ti rispondi tu.

Annuí lentamente, come elaborando il significato profondo delle mie parole, quindi alzò il bicchierino del rum davanti al viso. Io presi il mio e lei lo toccò. Brindammo in silenzio, forse alla nostra somiglianza, forse solo a noi stesse.

– Parlo un sacco di me. Tu? L'altra volta hai detto che non hai nessuno. Sei stata sposata, hai divorziato?

– Mai sposata e niente compagni fissi da molto tempo.

– Perché?

– Vuoi la spiegazione breve o quella lunga?

– Inizia con la breve, poi vediamo.

– Buona idea, anche perché quella lunga non la so nemmeno io... Non mi fido degli uomini perché, suppongo, in fondo ne ho paura. Li ho sempre trattati come se fossero pericolosi, in un modo o nell'altro.

Non potevo credere alle mie orecchie, non potevo credere di avere detto una cosa cosí intima e totalmente sincera in una situazione del genere, a quella donna che non conoscevo, con la quale stavo parlando – ingannandola – solo perché indagavo su di lei.

– Ti è mai successo di essere molestata o abusata da un uomo? – domandò.

Mi schiarii la voce. Non ne avevo alcun bisogno, ma era un modo per recuperare l'equilibrio.

– Abusata direi di no. Qualche forma di molestia immagino sia capitata a tutte.

Bevve ancora del rum, come per darsi coraggio.

– Quando avevo quindici anni il padre di una mia compagna di scuola mi diede un passaggio in macchina. Era un bell'uomo, noi lo consideravamo tutte un figo, dicevamo che ce lo saremmo fatto volentieri e altre cose idiote che dici quando sei una ragazzina e vuoi darti importanza, sembrare grande. Mi chiese se avessi voglia di fare un giro, prima di tornare a casa e io risposi di sí. Mi portò in un posto dove andavano le coppie in macchina, per appartarsi.

Appartarsi. Mi colpí quel termine asettico, da informativa dei carabinieri. Anche il tono di Lisa era diventato neutro, quasi nel tentativo di attutire la violenza che stava per raccontarmi.

– Mi baciò e io non fui capace di dire no. O forse non *volevo* dire no, magari pensavo che ci saremmo baciati e basta e io avrei avuto una cosa da raccontare alle mie amiche stupide quanto me. Non lo so, mi sono ripetuta questa storia tante volte che non sono piú in grado di capire quale sia la verità. Dubito perfino che sia mai esistita una verità. Mi fece altre cose e me ne fece fare e mi spiegò come farle, e di nuovo io non fui capace di dire no. Mentre succedeva, lui parlava, parlava tanto, mi sussurrava che ero brava, che l'avevo sempre fatto arrapare, che lo aveva capito che ero una piccola troia. Lo aveva capito.

Le toccai la mano cercando di dominare la rabbia.

– Va bene Lisa. Non c'è bisogno –. Non ho ben chiaro cosa intendessi con una frase del genere: «Non c'è bisogno». Forse era stata la me stessa del passato a pronunciarla, quella che ascoltava la vittima di uno stupro e cercava di sostenerla, di aiutarla, di non farle dire cose inutilmente dolorose.

– È difficile spiegarlo, – continuò. – Lui ormai mi faceva schifo, eppure quando la cosa finí ebbi la sensazione di avere un potere. Mi facevo schifo anch'io, ma mi sembrava di aver imparato ad affrontare certe situazioni, come rendere innocuo un uomo.

Rimase in silenzio. Io le strinsi una spalla pensando che di rado una situazione mi era sfuggita di mano come quella sera. Mi guardò.

– Forse ti ho raccontato queste cose perché mi hai detto di avere paura degli uomini. Non me lo sarei mai immaginato che una come te potesse avere paura. Potevi capire perché sono diventata...

– Cosa sei diventata?

– Forse non sono *diventata*. Forse sono e basta. Una che sposa un uomo che potrebbe essere suo padre solo perché è ricco. Adesso che ho tempo di pensare mi rendo conto che ho cercato per tutta la vita una sistemazione che passasse attraverso un uomo. Un uomo che mi aiutasse a raggiungere il successo nel mondo dello spettacolo; o che mi mantenesse, che mi liberasse da ogni preoccupazione per il futuro. La prima cosa non mi è riuscita, la seconda sí. Mi sono sposata con Vittorio, lui è morto e io ho ottenuto quello che cercavo: non avrò piú problemi economici. C'è un processo sul testamento, la figlia di Vittorio mi ha fatto causa, ma comunque finisca non dovrò rimettermi a lavorare. E ora mi sembra che tutto abbia perso di senso. Ho raggiunto il mio obiettivo e non me ne importa niente. Anzi non mi importa niente di niente. Assurdo, vero?

– Non è assurdo. C'è una maledizione gitana che suona piú o meno cosí: «Che tu possa ottenere tutto quello che desideri».

– Già. Ma sai qual è la cosa piú brutta?

– Quale?

– Che se provo a guardarmi dentro mi pare di non vedere nulla.

– Non capisco.

– Una volta ho letto su una rivista che i narcisisti gravi, gli psicopatici, non provano emozioni o sentimenti, però sono capaci di imitarli benissimo. Ecco, io ho come l'impressione di avere recitato tutta la vita: quell'articolo sembrava parlare di me.

Che sciocchezza, dissi. Ma non lo pensavo. Non lo pensavo affatto. Quella preoccupazione aveva agitato anche me, tante volte. Tante volte avevo avuto l'impressione, raggelante, di non avere emozioni autentiche, o comunque di non saperle riconoscere. Avevo anche scoperto che esiste un nome per questa condizione: alessitimia. È un disturbo che compromette la consapevolezza degli stati emotivi. I pazienti alessitimici – c'era scritto su un dizionario medico – oltre alla difficoltà nel riconoscere, nominare e descrivere i propri stati emotivi presentano a volte una vera e propria incapacità di provare emozioni.

Ne avevo parlato con la mia psicoterapeuta.

«Dunque, Penelope, lei ha paura di non avere sentimenti o emozioni. È cosí?»

«Sí».

«Ma è una paura da poco? Un fastidio, una leggera inquietudine?»

«No. Ho proprio paura».

«Essendo la paura un'emozione – e lei la prova –, forse possiamo dire che il suo convincimento è un po' esagerato? Forse il suo problema è piuttosto quello di nominarle, le emozioni? Di trovare i nomi giusti, precisi; di non confondere la rabbia con la tristezza, per esempio?»

Era stata una mossa molto abile, elegante. Mi aveva fatto perdere l'equilibrio usando la stessa forza della mia affermazione, reindirizzandola, come accade in certe arti marziali in cui si cede alla spinta dell'avversario per neutralizzarlo. Era riuscita a mostrarmi le cose da una prospettiva diversa. La mia paura di avere un problema con sentimenti ed emozioni non scomparve di colpo, in realtà esiste ancora, ma da quel momento non mi sembra un destino irrimediabile. Ci convivo, e a volte intravvedo degli spiragli nella cappa grigia che mi avvolge.

Quello che aveva detto Lisa non era affatto una sciocchezza, quanto piuttosto un inquietante profilo di somiglianza fra noi.

Cercai di riprodurre il ragionamento della mia psicoterapeuta.

– Hai paura di essere una psicopatica?

– Sí. Piú o meno.

– Questa è la prova piú evidente che non lo sei. Gli psicopatici non hanno paura di niente che venga dal loro interno. E del fatto di non provare alcun sentimento gli importa meno di zero. Ti convince?

Quasi al rallentatore, un sorriso da bambina si disegnò sulle sue labbra.

Sei forte. Sono sicura che se avessi avuto prima un'amica come te molte cose sarebbero state diverse.

I complimenti – *certi* complimenti – mi mettono a disagio. A proposito di problemi con le emozioni.

Cambiai discorso, anche perché ero lí per un motivo preciso e molto diverso dal fare amicizia.

– Hai detto che la figlia di tuo marito ti ha fatto causa?

– Sí. Adesso ti racconto, tu che sei avvocato magari mi puoi dare un consiglio.

Mi spiegò la storia del testamento e del procedimento civile piú o meno come la conoscevo già. Non mi disse che Leonardi intendeva cambiare le sue volontà e questo poteva significare due cose: o lo ignorava o non voleva dirlo. E naturalmente io non potevo approfondire.

– Per quale motivo tuo marito ha voluto fare testamento? Tu saresti stata comunque erede legittimaria.

– Non ne ho idea. Un giorno mi disse che lo aveva depositato da un notaio e che mi lasciava la maggior parte del patrimonio. Gli chiesi per quale motivo, lui rispose che era meglio cosí, senza aggiungere altro. Secondo me voleva punire la figlia.

– Perché?

– Non che me ne avesse mai parlato in maniera esplicita, ma da alcune conversazioni, da piccoli accenni, avevo capito che ce l'aveva con lei. Diceva spesso che lo disprezzava, o che lo detestava... insomma qualcosa del genere. Ma che non disprezzava il suo denaro; questa espressione me la ricordo bene.

– Pensava che la figlia attendesse la sua morte per ereditare?

– No, questo no. Comunque l'aveva sempre mantenuta e continuava a mantenerla. Era andata a studiare all'estero, si era sposata, aveva lavorato – non so cosa facesse – ma senza i soldi che le passava il padre non sarebbe andata avanti una settimana. Eppure dava per scontato di poterlo giudicare.

Non commentai, limitandomi ad annuire in modo vago.

– È viziata, e anche una brutta persona, se vuoi il mio parere.

– Cosa dice il tuo avvocato a proposito della causa?

– Che sarebbe meglio trovare un accordo, perché probabilmente lei ha in parte ragione. E io non avrei nulla in contrario. Ma è cosí incattivita, mi odia. La trattativa è difficile.

Fece una pausa. Guardò la bottiglia del rum come chiedendosi se fosse il caso di servirsene ancora. Decise di no.

– Ti secca se mi giro una canna?

Scossi la testa.

– Figurati.

Prese una scatolina di legno di cedro da uno scaffale. All'interno c'erano tabacco, cartine e un po' di erba.

– Ne vuoi una anche tu?

– Mi accenderei una sigaretta delle mie, se per te va bene.

– Certo. Non pensavo fumassi, potevi chiedermelo prima, non mi dà fastidio.

Si preparò la canna, l'accese, aspirò un paio di volte con forza. I lineamenti del viso si rilassarono in modo visibile.

– Ti ho detto che a volte mi sento in colpa perché non ero a Milano quando Vittorio ha avuto l'infarto. Be', altre volte mi convinco che sia stata una fortuna.

– Davvero?

– Se fossi stata a Milano, quella stronza avrebbe di sicuro pensato che suo padre l'avevo ucciso io.

A dire il vero lo pensa lo stesso. Però non posso dirtelo.

– Era molto innamorato di te, immagino.

– Non direi «innamorato». Non era quel genere di uomo.

– Cioè?

– Non era passionale. Era affascinante, anche alla sua età, ma non credo fosse il tipo che si innamora. Il suo primo matrimonio, per esempio, lo considerava un malinteso sin dall'inizio.

Assunsi un'espressione interrogativa e lei si spiegò.

– La prima moglie era convinta che la loro fosse stata una storia d'amore, invece lui non l'aveva mai davvero amata. Diceva che se qualcuno avesse ascoltato il racconto del loro matrimonio dall'uno o dall'altra, avrebbe sentito due storie completamente diverse. Comunque, tornando a me, per lui ero un oggetto ornamentale cui si era affezionato. Forse qualcosa di piú, ma non lo so.

– Però hai detto che era affascinante.

– Sí, lo era. Spiritoso, divertente. Ed era coltissimo, poteva parlare di qualsiasi argomento. In compagnia si vedeva subito che era di un livello superiore.

– Sto diventando curiosa.

– Negli anni Novanta è stato anche parlamentare. Forse la sua vera passione era il potere. Ecco: le sue passioni erano la sala operatoria e il potere. Era massone, sai?

Dovetti sforzarmi per rispondere in modo noncurante.

– Ah, sí? Ti confesso che non ho mai capito cosa facciano esattamente gli iscritti alla massoneria.

– Nemmeno io. Andava a delle riunioni, ma non mi raccontava niente. Una cosa però la ricordo: diceva che le nomine importanti nella sanità della Lombardia le decidevano loro.

– Loro chi?

– Lui e i suoi amici. Anzi, i suoi fratelli, cosí li chiamava. E non solo nella sanità. Una volta disse che erano riusciti a far nominare un alto magistrato.

– Nominare dove?

– Non lo so, non ne capisco molto. Però Vittorio era soddisfatto, mi pare c'entrassero politici di Roma.

– Altri massoni?

– Credo. Come mai ti interessa?

Ecco. Era il momento di fare marcia indietro. L'ultima cosa di cui avevo bisogno era che si insospettisse e, in un modo o nell'altro, scoprisse chi ero davvero.

Recuperai l'espressione noncurante di cui sopra.

– Ho sentito parlare spesso di massoneria, di centri di potere piú o meno occulti, ma non mi era mai capitato di incontrare qualcuno venuto in contatto diretto con questa roba.

– Ah. Non so molto di piú di quello che ti ho raccontato. Forse non avrei dovuto buttare tutte quelle carte di mio marito.

– Carte?

– Ce n'erano un sacco nel suo studio. Fotocopie di documenti della Regione, della Prefettura, di ministeri. Lettere, ritagli di giornale. È stato un po' come per la camera da letto, le cose che ricordavano la sua presenza in questa casa mi mettevano inquietudine, e le ho gettate.

Si interruppe, come colta da un pensiero improvviso.

– Forse non ci faccio troppo una bella figura, a dire certe cose...

– Ti capisco, invece, mi sembra normale.

– Ho gettato anche le carte di un'indagine che c'era stata su di lui.

Rimasi paralizzata per qualche istante. Mi mossi solo quando mi resi conto che non stavo respirando, che ero rimasta in apnea per una ventina di secondi.

– Un'indagine?

– Sí, eravamo sposati da poco, sarà successo quattro anni fa.

– Di che si trattava?

– L'avevano accusato di omicidio colposo, una donna era morta durante un intervento. Poi fu scagionato. Credo avesse parecchi amici fra i giudici.

Avrei voluto saperne di piú, in particolare riguardo agli amici giudici, ma un eccesso di curiosità, ancora una volta, avrebbe solo destato sospetti. Mi ripromisi di fare qualche verifica su questa storia – per quello che poteva servire, con ogni probabilità nulla – e cambiai argomento.

Continuammo a chiacchierare fino all'una, quando dissi che dovevo proprio scappare, avevo il cane da portare fuori per la passeggiata igienica. Rimanemmo d'accordo che la volta successiva saremmo andate insieme a mangiare il sushi in un posto gestito da amici suoi e ci salutammo con due baci da vecchie amiche.

Non avevo voglia di farmi mezz'ora a piedi a quell'ora, presi al volo un taxi che percorreva lento via della Moscova come fosse di pattuglia o aspettasse proprio me.

Cinque anni prima

L'architetto Ferrari non era incline alla sintesi. Gli piaceva raccontare, gli piaceva divagare e gli piaceva molto quell'opportunità di avere come pubblico un magistrato e degli ufficiali di polizia, senza il rischio di dover rendere conto delle sue affermazioni. Dopo almeno venti minuti di preamboli e, appunto, divagazioni, si stava infine avvicinando a ciò che ci interessava.

– Ero iscritto a una loggia ufficiale – formalmente, lo sono ancora – e in piú occasioni un fratello mi disse che ormai la massoneria ufficiale non era in grado di assolvere ai compiti per cui era nata.

– Quali erano questi compiti? E soprattutto chi era questo «fratello».

– Un professore universitario, un chirurgo piuttosto noto: Vittorio Leonardi. I suoi discorsi erano sempre alquanto fumosi, ma l'idea, secondo lui, era: indirizzare la società, i cui componenti sono perlopiú persone inconsapevoli, nella direzione di un sano progresso guidato dai migliori. Amava molto citare *La Repubblica* di Platone, tutta la storia sul governo dei migliori.

– E quindi?

– Mi disse che con dei fratelli, alcuni della nostra stessa loggia, alcuni di altre e anche di diverse obbedienze, avevano costituito una specie di club «riservato»; la riservatezza era molto importante, sottolineò. Comunque sia, percepiva in me le qualità intellettuali e morali per farne parte. Se volevo – precisò che si trattava di un privilegio concesso a pochi – avrei potuto essere valutato in vista di una possibile ammissione.

– In cosa consisteva questa valutazione?

– Avrei partecipato come uditore ad alcune riunioni di natura politico-culturale. Sarei dovuto intervenire, a specifica richiesta, per esprimere la mia opinione sui vari temi trattati. I fratelli avrebbero preso in esame la mia candidatura e se mi avessero considerato idoneo sarei stato ammesso.

– Lei ha accettato?

– Dottoressa, vede, io già avevo avuto dei dubbi quando si era trattato di aderire a una loggia ufficiale, non segreta. Cioè, per certi aspetti ero attratto dalla storia della massoneria, mi piaceva l'idea di far parte di un'organizzazione su cui avevo letto tanto. Mio nonno materno – che non ho mai conosciuto – era socialista e massone, ed è stato perseguitato dal fascismo. E massoni erano stati anche suo padre e il padre di suo padre. Parecchi anni fa, sgomberando una vecchia casa di famiglia, trovai dei documenti e delle lettere, e mi emozionai. Insomma, l'idea di ristabilire una connessione con le mie radici, con una tradizione che risaliva al Risorgimento, un po' mi affascinava. D'altro canto, avevo delle perplessità, come le dicevo. Dopo la vicenda della loggia P2 la massoneria non gode di ottima fama nel nostro Paese.

– Effettivamente no, – mi inserii, nella speranza che arrivasse al dunque. Non funzionò.

– Sa cosa mi spinse a rompere gli indugi? Nel 2001, prima dell'attentato alle Torri Gemelle, feci un viaggio negli Stati Uniti. Naturalmente ci ero già stato varie altre volte. Lí la massoneria ha uno status molto riconosciuto, molto visibile. Fra le varie tappe ci fu Philadelphia, dove visitai il Tempio della Gran Loggia della Pennsylvania, che è aperto al pubblico. Il martelletto cerimoniale usato per l'inizio della sua costruzione era lo stesso usato dal presidente George Washington – anche lui massone – per la posa della pietra angolare del Campidoglio nel 1793. Fu in quell'occasione che mi decisi. Io sono architetto e imprenditore edile. Costruisco case, e cerco di farlo in modo che siano munite di un senso. Quell'edificio cosí pieno di significati simbolici mi convinse.

Dovette accorgersi di un mio moto di insofferenza. In una situazione diversa sarebbe stato anche un discorso interessante, ma in quel momento avevo altre priorità.

– Mi scusi, era per spiegare che entrai nella massoneria in seguito a una suggestione culturale.

– Ma aveva dubbi.

– Sí, ero in bilico tra la fascinazione e un vago senso di ridicolo per i rituali, per come prendevano sul serio certe cose, oggi, nel ventunesimo secolo.

– Quando è stato iniziato?

– Nel 2002. Fu tutto molto simile a quello che uno potrebbe immaginarsi, con i grembiuli e gli altri paramenti, con delle espressioni rituali... Ma non la annoierò oltre con questo. Ricordo che l'Oratore – una delle figure che prendono parte alla cerimonia, insieme al Maestro Venerabile e al Segretario – parlò delle iniziazioni del nuovo millennio, del fatto che la Libera Muratoria aveva superato i secoli e avrebbe continuato a farlo. Le confesso che, a parte gli aspetti folcloristici, alcune delle cose che disse in quell'occasione mi colpirono, mi parvero spunti su cui riflettere. L'idea di fondo era che il giuramento di fedeltà è all'istituzione massonica, ma anche e soprattutto a un itinerario, a un'idea di unità e di coerenza. Disse che il compito di chi viene iniziato è quello di compiere un percorso di individuazione di sé stesso, o di sé stessa.

– Non sono esperta di massoneria, vengono ammesse anche le donne?

– Nella Gran Loggia d'Italia sí, certo. In altre obbedienze, no.

– La Gran Loggia d'Italia è quella cui apparteneva lei?

– Formalmente vi appartengo ancora. Pago le quote, ma non partecipo alle riunioni da parecchio tempo.

– Vada avanti.

– Aderii, frequentai per anni, salii anche di grado, sempre senza troppa convinzione. Non che fossi pentito, alla fine dei conti era tutto abbastanza innocuo e alcune delle persone erano interessanti. Un Rotary un po' piú formale, un po' piú paludato, se capisce cosa intendo. Inutile precisare che non ho tratto alcun beneficio lavorativo dalla mia iniziazione. Poi ci fu il discorso di Leonardi e mi lasciai convincere ad andare come uditore a quelle riunioni.

– Ma questa «loggia riservata» appartiene comunque a una delle massonerie ufficiali? – chiese Calvino.

– No, è una di quelle che si chiamano logge spurie; nella massoneria ufficiale, quale che sia l'obbedienza, non verrebbe mai ammesso un uditore, cioè qualcuno che non sia stato iniziato.

– Ha un nome? – domandò Capone.

– Boemia. La loggia si chiama Boemia.

– Perché non lo ha scritto nell'esposto?

– Solo chi è ammesso alla loggia può conoscerne il nome. Io volevo lasciarvi credere che l'estensore dell'esposto fosse un esterno.

– E perché Boemia?

– Non lo so.

– Dunque, frequentò come uditore le riunioni della loggia Boemia. Quante volte è successo? – domandai io.

– Quattro, forse cinque in un arco di parecchi mesi.

– Che impressione ne ricavò?

– Quella che ho cercato di trasferire nell'esposto. Beninteso: in mia presenza non parlarono di reati o in generale di atti illeciti. Però trovai disturbante l'atmosfera.

– Perché allora ci è andato ben cinque volte?

– Non sapevo come prendere il discorso con Leonardi per spiegargli che non ero interessato. Non è un uomo facile, cosí rinviavo. Quando fu lui a comunicarmi che il periodo di uditorato poteva considerarsi esaurito e che era arrivato il momento di procedere alla mia affiliazione, fui costretto a parlargli.

– Cosa gli disse?

– Che non ero convinto di voler continuare, che non volevo creare difficoltà a nessuno, men che meno a lui, ma che preferivo fermarmi lí.

– Come la prese?

– Non bene. L'ho definito un uomo non facile. Ho usato un eufemismo. Può essere molto sgradevole. È arrogante, abituato all'obbedienza, sprezzante, il piú classico dei baroni universitari. Mi disse che lo stavo deludendo. Che si era esposto con gli altri portandomi lí e adesso la mia decisione lo metteva in imbarazzo. Cercai di ricordargli che non ero stato io a chiedergli di partecipare alle riunioni ma non serví a nulla. Si innervosí sempre di piú. Alzò la voce: ero venuto a conoscenza di cose riservate, avrei dovuto dirgli subito che non ero interessato. Roba del genere. Insomma, fu una conversazione spiacevole, ci salutammo con estrema freddezza.

– Da allora ha piú avuto rapporti con Leonardi? Siete tornati sull'argomento?

– Ci crede che non l'ho piú rivisto? Intendo nemmeno casualmente, per strada. E in fondo Milano non è cosí grande.

– Ma perché ci teneva tanto che lei entrasse nella loggia Boemia?

– Non so risponderle con sicurezza. Dal suo punto di vista mi stava facendo un onore: in un certo senso la sua incazzatura era comprensibile. Comunque, credo che i criteri di accesso fossero in sostanza di due tipi: titolarità di grande potere personale e disponibilità economiche per finanziare le attività.

– Lei a quale categoria apparteneva? Potere, soldi o entrambe?

– Considerato chi c'era lí dentro, dubito che mi volessero per il mio potere. I soldi sono un tema, la mia impresa va molto bene, lavoriamo parecchio, le disponibilità non mancano e Leonardi lo sapeva.

– È lui il capo del sodalizio?

– No, non credo; certamente ne è una delle personalità piú in vista. Non ho capito se nella loggia vi sia l'equivalente di un gran maestro, insomma una figura individuale di vertice. Ho avuto piuttosto l'impressione che esista come un direttorio di affiliati piú importanti.

– Leonardi non le aveva parlato di gerarchie interne?

– No. Mi aveva detto che non bisognava fare domande, che ogni cosa l'avrei saputa a tempo debito.

– È per via di quel diverbio che ha deciso di fare l'esposto?

– Mi scusi ma messa cosí suona proprio male, dottoressa. Sembra una reazione isterica, una piccola ritorsione personale. La discussione con Leonardi è avvenuta un anno prima che scrivessi l'esposto. Ci pensavo e ci ripensavo, e mi chiedevo cosa fare. Quel gruppo di persone mi aveva inquietato. Ha visto il film *Todo modo*, tratto dal romanzo di Sciascia?

– No.

– Peccato, capirebbe meglio cosa provai di fronte a quelle persone. Non mi piacevano, e piú passava il tempo piú mi convincevo che bisognava fare qualcosa, che qualcuno di voi doveva interessarsi delle loro attività o, se non altro, conoscere la loro esistenza.

– Tuttavia nelle riunioni cui ha partecipato come uditore non si è fatto cenno a condotte illecite di qualche tipo.

– No. Si sottolineava sempre l'esigenza della segretezza, ma non ci furono discorsi espliciti su cose illegali. Leonardi, però, mi aveva ripetuto piú volte che in quell'appartamento anonimo nel centro di Milano si decidevano molte cose importanti. Far parte di quel gruppo significava entrare in una specie di aristocrazia nascosta del potere. Cosí disse.

– Nell'esposto lei si è spinto oltre. Ha parlato di... leggo: «un nuovo tipo di predatore... criminali con il colletto bianco... che spesso si intersecano con le mafie» eccetera.

Ammetto di avere un po' calcato la mano. Ma volevo suscitare il vostro interesse.

– Chi c'era alle riunioni cui ha partecipato come uditore?

– Premetto che in quegli incontri non ci sono presentazioni. Gli affiliati, o iniziati o iscritti, non so quale termine usare, si riuniscono attorno a un tavolo rettangolare, lungo. Gli uditori vengono fatti sedere su delle sedie appoggiate contro il muro su tre lati della sala. Non so se questo abbia un significato.

– Ha usato il plurale: c'erano altri uditori oltre a lei?

– In realtà no. C'ero solo io. Intendevo che quella era la regola, cosí mi aveva spiegato Leonardi.

– Di quali argomenti si discuteva?

– Quando c'ero io facevano solo discorsi generali, piuttosto astratti. Sulla guida della società, sulla necessità di correggere i difetti della democrazia. Una volta, ricordo, parlarono del falso mito dell'uguaglianza, fonte di molti problemi, secondo loro.

– Nulla di concreto? Fatti specifici, azioni, iniziative?

– Non con me lí. Ma io ero ammesso solo per una parte della riunione. A un certo punto mi veniva chiesto di allontanarmi. Suppongo che le questioni concrete le trattassero da quel momento in poi.

– Ma chi erano queste persone?

– Non mi è stato presentato nessuno, ripeto. Quando entravo erano già seduti e quando uscivo rimanevano lí. Però Leonardi mi ha detto chi erano alcuni dei partecipanti e qualcun altro l'ho riconosciuto io.

– Per esempio?

– Ho riconosciuto un parlamentare e un consigliere regionale. Leonardi mi ha detto che c'erano un viceprefetto, in due diverse occasioni dei magistrati...

– Chi erano i magistrati?

– Nessuno del suo ufficio, dottoressa. Stando a quello che mi ha detto Leonardi erano un consigliere della Corte d'Appello e un giudice del Tar. Poi alcuni imprenditori, avvocati, un colonnello dell'esercito.

– Appartenenti alle forze di polizia?

– Non lo so. Leonardi non ne ha parlato. Non significa che non ci fossero.

– I partecipanti erano sempre gli stessi?

– Alcuni li ho visti sempre, altri no.

– Perché ha firmato con quel nome?

– Una volta, parlando con un amico avvocato penalista, era venuto fuori che gli esposti anonimi non sono utilizzabili, non consentirebbero nemmeno di cominciare un'indagine. Lui diceva che se si vuol fare un esposto anonimo conviene sempre firmarlo con il nome di una persona esistente. È piú facile che le indagini comincino e magari proseguano pure, dopo che l'apparente firmatario ha negato di essere lui l'autore.

– Ma perché proprio quel nome?

Si strinse nelle spalle. – Sono ripassato da quell'indirizzo, ho letto sul citofono e ho scelto a caso.

Giocherellai un po' con la penna; portai la mano al pacchetto di sigarette e la ritirai; guardai prima Calvino, poi Capone. Infine tornai su Ferrari.

– Lo so cosa ci siamo detti all'inizio. Ma non possiamo verbalizzare almeno in parte?

– No. Oltre al resto, rischierei azioni per diffamazione o per calunnia.

– Non dobbiamo necessariamente scrivere che lei è l'autore dell'esposto –. Già mentre lo dicevo mi sembrava un'ipotesi poco credibile e ancor meno praticabile.

– E allora come sarei capitato qui? – replicò Ferrari. – Come sareste arrivati a me? Nel mio lavoro le pubbliche relazioni, i rapporti con gli amministratori, sono molto importanti. Questa faccenda sarebbe catastrofica per la mia reputazione, se venisse fuori.

Aveva ragione, e non insistetti.

– Esistono elenchi degli affiliati a questa loggia?

– Sono quasi sicuro di sí. Elenchi e altri documenti, roba delicata.

– Ha idea di dove siano custoditi?

– Di certo non in quell'appartamento. Leonardi mi disse che non volevano fare la fine della P2, che i documenti erano custoditi in un luogo sicuro, affidati a persona sua.

– E quale potrebbe essere questo luogo sicuro?

– Lo ignoro. Però Leonardi ha un factotum, un uomo di fiducia. Se dovessi fare una congettura…

– Ma è un affiliato, questo tizio?

– No. Credo sia un infermiere che lavora nella sua clinica, ma che, di fatto, è a sua disposizione.

Concluse dicendoci i nomi dei membri della loggia che conosceva. Ci raccomandò di stare attenti a come ci muovevamo; ci assicurò che se gli fosse venuto in mente qualcos'altro di rilevante ce l'avrebbe riferito. Poi, dopo avermi fatto di nuovo il baciamano, ci salutò e andò via.

22.

Il titolo della mostra era *L'esistenza degli altri*. La didascalia spiegava che lo spunto era in uno scritto di Simone Weil.

– L'artista è una mia amica, – mi raccontò Alessandro. – Fa la veterinaria e fino a qualche anno fa la fotografia non rientrava fra le sue passioni o anche solo fra i suoi hobby. Come quasi tutti noi, usava il telefono per fare le foto ricordo e basta. Poi è morto suo padre, già vedovo. Era un ingegnere, ma da ragazzo aveva fatto il fotoreporter freelance per quotidiani e riviste. Si era pagato gli studi cosí. Federica non sapeva quasi nulla di quegli anni avventurosi, quando i suoi genitori non si erano ancora conosciuti. E di colpo si è resa conto che ormai non avrebbe *piú* potuto saperne niente. Capita spesso: diamo i nostri genitori per scontati – diamo un sacco di cose per scontate – poi scompaiono e noi rimaniamo a chiederci chi fossero davvero, cosa fosse stata la loro vita. Da dove veniamo noi.

– Senza di loro non esisteremmo, ma l'ultima cosa che proviamo per i nostri genitori – tralasciando certi discorsi dolciastri e falsi – è la gratitudine, – commentai quasi senza accorgermene.

– È cosí. La mia amica, svuotando la casa ha ritrovato le macchine fotografiche di suo padre e l'apparecchiatura per sviluppare; tutto perfettamente funzionante. Ha imparato a usare le une e l'altra, e ha cominciato a scattare queste fotografie. Alcune le trovo molto belle. Imparare a fotografare e a stampare è stato il suo modo di salutare il padre; e di elaborare la perdita di quel pezzo di memoria.

Era vero, alcune immagini erano belle. Contenevano un misto di nostalgia e allegria, a volte quasi gioia. Le didascalie – che nelle mostre sono sovente un cumulo di sciocchezze prive di senso – erano appropriate e suggerivano qualcosa. Frasi tipo: «Federica Forte trasforma il visibile in finestre sull'immaginario, coglie la dimensione del fantastico implicita nel quotidiano».

Fra tutte le stampe ce n'era una che mi piaceva in modo particolare. Un uomo e una bambina, vicini, di spalle sulla riva del mare, guardavano un orizzonte sfiorato da grandi nuvole bianche. Era in un bianco e nero quasi epico, e sembrava cogliere un frammento del mistero.

– Ottime foto, rinfresco pessimo, – disse Alessandro mentre bevevamo vino bianco scadente da bicchieri di plastica.

– Non volevo dirlo perché mi hai invitato e, contrariamente alle mie abitudini, intendevo mostrarmi gentile. Però sí: vino caldo e stuzzichini freddi.

– Andiamo a prendere un aperitivo da qualche parte. La mostra l'abbiamo vista, siamo liberi. Saluto e ci dileguiamo.

Mi piacque che non avesse nemmeno atteso la mia risposta. Raggiunse un capannello al centro del quale c'era la veterinaria fotografa, la abbracciò, strinse qualche mano e un minuto dopo eravamo fuori.

– C'è un bar qui vicino che ha un dehors riparato e con i funghi caloriferi. Disapprovo, ma se vuoi lí puoi anche fumare.

– Hai fatto caso che non ci siamo detti i cognomi.

– Giusto. Non mi ero proprio posto il problema. Il mio è Tempesta.

– Il mio Spada. Cavolo: Tempesta e Spada. Potremmo essere due X-Men.

– Tu potresti esserlo davvero, con quelle cose atletiche che fai.

– Ho letto il libro che mi hai regalato.

– Che te ne è parso?

– Mi è piaciuto moltissimo e sono rimasta sorpresa. Per me Steve Martin era solo un attore di film comici non particolarmente raffinati. Chi poteva immaginare che fosse anche uno scrittore cosí delicato.

Per qualche istante pensai di raccontargli dove lo avevo letto e cosa stavo facendo mentre leggevo e tutto il resto. Insomma, volevo raccontargli di me, e non riuscivo a ricordare l'ultima volta che avevo avuto un desiderio simile.

Ci sedemmo a un tavolino sotto la veranda, ben riscaldato ma di fatto all'aperto. Come aveva detto Alessandro, si poteva fumare, infatti accendere una sigaretta fu la prima cosa che feci mentre cominciava a piovere.

– Dove abiti? – chiesi.

– Qui vicino. Un appartamento davvero piccolo. Mi ci sono trasferito dopo la separazione. Non ti ho chiesto se sei sposata, convivente, fidanzata.

– Non sposata, non convivente, non fidanzata, – risposi, provando uno stupido senso di contentezza per l'informazione che avevo appena avuto in quel modo casuale. Mi sentii audace.

– Da quanto sei separato?

– Quasi tre anni, ormai. Non sono pochi, ma a me sembra un tempo ancora piú lungo. Forse perché sono successe varie cose non belle, a parte la separazione.

– Adesso come va?

– Meglio.

Arrivò il cameriere e ordinammo del vino bianco – freddo, precisammo dopo l'esperienza del rinfresco al vernissage – e qualcosa da mangiare.

– Dunque eri sposato?

– In realtà no. Abbiamo convissuto per cinque anni, l'idea era di sposarci quando avessimo deciso di fare un figlio. Tu da quanto non hai un fidanzato?

– Da molto tempo, se parliamo di un fidanzato vero.

Rimase in attesa che aggiungessi qualcosa su di me, ma non lo feci. Invece gli chiesi di raccontarmi perché fosse finita la sua storia. Se ne aveva voglia e se non trovava intrusiva la domanda. Dissi proprio «intrusiva» e subito dopo mi interrogai sul perché, a volte, mi esprimessi in quel modo.

– Credo ci sia un conflitto in ogni relazione. Può riguardare il denaro, il lavoro, il sesso, l'idea stessa di famiglia e di intimità. O diverse di queste cose insieme. Se si riesce a tirarlo fuori, cioè se si è capaci di parlarne, si può disattivarlo o almeno controllarlo. Altrimenti cresce silenzioso e quando te ne accorgi non c'è piú niente da fare. Ciò che provoca i problemi e i disastri nelle relazioni è ciò che non viene detto.

– Voi cosa non vi eravate detti?

– Praticamente tutto. I nostri discorsi – forse no, è piú giusto: i *miei* discorsi – erano dei capolavori di evitamento. È quello che lei mi ha rinfacciato quando è arrivata l'implosione –. Adesso parlava con lentezza, proseguire gli costava fatica. – Non lo avevo mai raccontato prima. Dovevo immaginare che non sarebbe stato facile.

– Se preferisci, lasciamo stare.

– No, voglio parlarne.

Bevve un sorso di vino e riprese.

– A quanto pare la cosa piú insopportabile era il modo in cui mi sottraevo a ogni tentativo di manifestarmi il suo disagio. Con un espediente immorale: dare consigli praticamente su tutto. Un trucco per evitare la responsabilità, per evitare l'intimità, per tenermi al riparo da ogni coinvolgimento emotivo. Ha detto che ci sono poche cose piú violente che dare certi consigli a una persona in difficoltà. Neghi la sua legittimazione a essere infelice quando ne avrebbe ottime ragioni. Le stai dicendo: la tua infelicità è colpa tua, se solo seguissi i miei suggerimenti potresti liberartene.

– Be', ci è andata giú leggerissima.

– Già. Il problema è che aveva ragione. Mi ha chiesto di andarmene – la casa era sua – e d'un tratto tutto il mio sistema di storie, bugie e finzioni è saltato in aria. Per un paio di anni sono stato allo sbando, e non ti annoio con il racconto dello sbando. Interessante, forse, è come ne sono uscito.

– Sí, mi interessa molto. Intendo: come si esce dallo sbando.

– Sono inciampato nella frase di uno scrittore francese: «A forza di essere infelici si finisce per diventare ridicoli». Direi che è stato un momento di illuminazione, se l'espressione non suonasse troppo enfatica. Mettiamola cosí: mi sembrava di essere un personaggio tragico e d'un tratto mi sono sentito ridicolo perché mi compiacevo della mia sofferenza. Un altro modo per non assumersi responsabilità.

– A forza di essere infelici si finisce per diventare ridicoli...

– Sí.

23.

La pioggia era diventata violenta e costante, a volte scossa per qualche secondo da improvvise raffiche di vento. Eravamo seduti al coperto, sotto la veranda, a poco piú di un metro dall'acqua: il mondo pareva scisso in due parti e l'effetto aveva qualcosa di incomprensibilmente rassicurante. Un uomo anziano vestito con un lungo impermeabile nero che gli arrivava fin quasi alle scarpe, cappello floscio, niente ombrello, ci passò vicino dal lato della pioggia. Come se la pioggia non ci fosse. Sembrava la creatura di un sogno, lo osservai allontanarsi ipnotizzata.

– Sei ancora qui? – domandò Alessandro, toccandomi un braccio.

– Scusa, mi capita di distrarmi.

– Non ti chiedo a cosa stavi pensando. Era una domanda che avevo l'abitudine di fare. Poi mi sono reso conto di quanto mi dia fastidio quando la rivolgono a me.

– Sei uno che impara.

– E tu?

– Non credo.

– Hai mai provato a osservare le cose con la lente di ingrandimento che c'è su tanti smartphone?

– Hai il potere di stupirmi. Cosa c'entra questa domanda?

– Hai detto che ti capita di distrarti. Spesso succedeva – in realtà succede – anche a me. C'è stato un momento in cui ho temuto fosse un problema serio. Mi riferisco alla difficoltà di soffermarmi su qualcosa per piú di pochi secondi. In sostanza, dunque, *all'incapacità* di soffermarmi su qualcosa. Su qualsiasi cosa. Quando lo noto nei bambini, a scuola, mi preoccupo. Conosci il disturbo da deficit di attenzione?

– Sí, certo.

– Io devo averne contratto una forma tardiva. Da bambino, ma anche da ragazzo, ero capace di immergermi in modo totale in ciò che facevo o leggevo. Poi, non so come e perché, le cose sono cambiate. Quando me ne sono reso davvero conto ho deciso di correre ai ripari.

– Non mi sembra facile.

– No, non lo è. Infatti, per un bel po' non mi è riuscito, nonostante mi sforzassi. A un certo punto, una sera mi è capitato di giocherellare con la lente di ingrandimento del cellulare. L'ho usata per guardare le lettere, intendo proprio i caratteri tipografici, sulla pagina di un vecchio libro. Osservando l'immagine ingigantita si coglievano delle minuscole sbavature di inchiostro, invisibili a occhio nudo; la trama della carta; e ancora le lettere: erano diverse, smettevano di essere simboli, diventavano figure individuali, entità pittoriche, oggetti autonomi che mi sembravano del tutto nuovi, mai visti.

– Quindi?

– Quindi, come ti dicevo, d'un tratto è cambiata la mia consapevolezza. Mi sono accorto di altre cose intorno a me. Ho smesso di dare per scontata la percezione. Ho cominciato a cogliere i dettagli anche senza la lente. E l'esercizio di guardare le cose ingrandite – un'attività in cui adesso posso perdermi per minuti e minuti – è diventata la mia terapia personale contro il disturbo dell'attenzione. Quando finisco una delle mie esplorazioni in questa specie di mondo dilatato mi sento lucido e presente, e qualsiasi cosa debba fare dopo mi riesce meglio –. Gli scappò un principio di risata timida, scrollò le spalle. – Questo ti convincerà ancor piú che sono un tipo strampalato. Parlo come un libro di self-help.

– Di strampalato c'è che non sembri un tipo strampalato. Qualcosa mi sfugge, e questo non va bene. Mi hai fatto tornare alla mente ricordi cui non pensavo da un sacco di tempo. Al liceo amavo materie come biologia e chimica; mi piaceva osservare al microscopio. Ma soprattutto ero bravissima in matematica e fisica. Secondo il professore ero molto portata. Non so se avesse ragione, se cioè avessi un vero talento matematico, in seguito non ho avuto modo di verificarlo, ma ero la prima della classe. Sembrava naturale che dovessi studiare quella roba.

– Invece hai studiato Giurisprudenza e hai fatto il magistrato.

Aveva uno strano di modo di fare le domande, senza il punto interrogativo. Erano domande, ma anche non domande. Come se evocasse un tema e mi lasciasse libera di trattarlo. Una dote degli investigatori piú bravi.

– Ho dato la maturità nel 1992.

– L'anno delle stragi.

– Sí. Uccisero Falcone, la moglie e la scorta a maggio. Io iniziai a pensare che si dovesse reagire a quello che stava accadendo; non a parole, coi fatti. Pensai che, forse, invece di studiare fisica avrei dovuto studiare Giurisprudenza e dare il mio contributo. Dedicarsi a qualcosa che non fosse combattere e vincere quella guerra mi pareva all'improvviso una specie di vigliaccheria. D'altro canto, studiare Fisica o Matematica sembrava la strada piú conforme alle mie qualità. Non sapevo decidermi. Ebbi dieci al compito di matematica – facevo lo scientifico – e parve un chiaro segnale. Poi, il giorno prima dei miei orali, ci fu la strage di via D'Amelio.

Mi interruppi bruscamente. D'un tratto non avevo piú voglia di proseguire. Per parecchi secondi ci fu solo il suono metodico della pioggia sul marciapiede, lí fuori.

– Io da ragazzo non amavo la matematica, – intervenne lui. – Ho cominciato ad apprezzarla quando ho dovuto insegnarla ai bambini. Ho capito che può essere un metodo per mettere ordine, per mettere le cose a posto. Nel mondo, anche in quello interiore. Adesso credo sia la materia che insegno meglio e che produce i maggiori cambiamenti nei bambini, soprattutto nei piú difficili.

Mi sorpresi a dirgli che mi piaceva parlare con lui. Accennò un sorriso, ma nei suoi occhi balenò una remota tristezza.

Gli uomini avevano sempre avuto paura di me. Sin da quando ero una ragazzina. Ero bella, ero intelligente, apparivo invulnerabile e loro, per quanto lo nascondessero anche a sé stessi, erano spaventati. Questo mi gratificava, mi dava potere, mi eccitava. Soprattutto mi permetteva di ricacciare lontano la mia angoscia, mi permetteva di dimenticarla credendo di averla annullata. Il paradosso è che non può piacerti davvero chi ha paura di te. La paura, nelle questioni di amore e di sesso, fa fare cose molto diverse, a volte di segno opposto, e quasi nessuna buona. Io le ho viste fare tutte.

Lui, invece, non aveva paura. Doveva esserci una ragione che io ignoravo, ma una cosa era certa: non aveva paura.

– Sei diventata magistrato perché volevi mettere le cose a posto.

– Sí. Un sogno ingenuo e perciò futile e dannoso. Che non si è realizzato, ovviamente, e mi ha resa infelice.

– Qualcuno ha detto che non sono i sogni non realizzati

ma quelli non fatti a rendere futile e stupida un'esistenza. Mi è sempre piaciuta questa frase.

– Bella. Me ne ricorda un'altra, la dice Clint Eastwood ne *I ponti di Madison County*.

– Com'è?

– «I vecchi sogni erano bei sogni. Non si sono avverati, comunque li ho avuti».

Lui sorrise di nuovo e questa volta, con sollievo, mi parve di non cogliere lo stesso bagliore di prima.

– Contravvengo alle regole e ti faccio una domanda alla quale sono sicuro non risponderai. Ma ci provo lo stesso: cosa è accaduto? Perché non sei piú un magistrato?

Scossi la testa. Alessandro mi fissò per qualche istante; la pioggia non accennava a diminuire né mutava il suo ritmo. Poi si alzò prendendo i nostri calici ormai vuoti.

– Ne servono altri due.

Tornò con il vino, si sedette, per alcuni minuti rimanemmo in silenzio.

– Mi viene in mente una cosa. Che in apparenza non c'entra nulla con quello di cui abbiamo parlato finora, – dissi proprio mentre sembrava che anche lui stesse per aprire bocca.

– Vediamo, se c'entra o non c'entra.

– Ho sempre pensato di essere una persona estremamente adattabile. Finché un giorno ho scoperto che non era cosí e sono rimasta allibita.

Alessandro annuí, come se quello che avevo detto non lo stupisse affatto.

– Avevi avuto questa impressione? – domandai, cercando di controllare l'irritazione nella mia voce. Non ci riuscii.

– Ti dà fastidio?

– No, – risposi troppo velocemente. – Va bene, – ammisi un attimo dopo, – mi irrita che qualcuno colga le mie debolezze. Io posso anche parlarne, ma gli altri non hanno il diritto di notarle.

– Come lo hai scoperto?

– Durante l'analisi. La dottoressa mi domandò se mi considerassi una persona capace di accettare il cambiamento e adattarsi alle circostanze. Io risposi di sí, avevo dovuto adattarmi a cosí tante cose nella mia vita. Mi sembrava non ci fossero dubbi.

– E lei?

– Lei non commentava mai ciò che dicevo. Questo mi innervosiva tantissimo. Non commentò neanche quella volta. Cambiò discorso, o almeno a me parve cosí.

Per un istante persi il filo. Ebbi l'impulso di toccarlo. Un impulso di una violenza che avevo dimenticato o che forse non avevo mai provato tanto forte.

Provai una nostalgia lancinante per il tempo in cui tutto doveva ancora accadere, in cui le cose e la mia vita non avevano ancora preso forma, diventando irrevocabili.

– In che modo cambiò discorso?

Mi scossi.

– Domandò se mi fosse mai successo di perdermi, da piccola.

– Ed era successo.

– Sí. Al supermercato, con mia madre. Mentre lei cercava qualcosa su uno scaffale io mi allontanai. Almeno credo, non è che questo lo rammenti davvero. Desumo che sia accaduto perché l'unico ricordo preciso è che a un certo punto mi voltai e non vidi piú mamma. Non era dove pensavo che fosse e non era da nessun'altra parte. Venni presa dal panico, scoppiai a piangere disperatamente. Non so quanto tempo trascorse – per me fu un tempo infinito – prima che sentissi la sua voce alle mie spalle.

– Che età avevi?

– Meno di quattro anni.

– E dopo aver ascoltato l'episodio la dottoressa ti ha fatto riflettere sul fatto che forse *credi* di essere adattabile ma, in realtà, hai paura dell'ambiente, degli altri e hai bisogno di controllarli?

– Eri lí a origliare? Cominci a farmi venire i nervi. Comunque sí, disse che quando a seguito di certe esperienze il bambino si convince che, in caso di bisogno, l'adulto non correrà subito in suo aiuto, tende a costruire un sistema di protezione, come una corazza o un castello. E si rifugia in comportamenti sempre uguali nella sostanza, anche se apparentemente diversi. In pratica, la storia della mia vita.

Una mendicante tutta bagnata, con un ombrello sdrucito, fece capolino e tese la mano. Alessandro si frugò nelle tasche e le diede una moneta.

– Sto per dirti una cosa che non ho mai detto a nessuno, nemmeno all'analista, – ripresi. – Molti anni dopo – andavo già all'università – parlai con mamma di quella storia e scoprii che lei si era accorta che l'avevo persa di vista. Non era venuta subito in mio soccorso apposta. Voleva capire come me la cavavo da sola e si era nascosta per osservarmi.

– Perché non l'hai raccontato all'analista?

– Mi vergognavo. Per lei, per mamma.

Alessandro respirò profondamente; poi si mosse sulla sedia.

– Non l'ho mai perdonata, – continuai. – Una volta, era già anziana e non stava bene, mi disse che le dispiaceva di non essere stata una brava madre. Era vero, non era stata una brava madre, per tante ragioni. Però adesso era debole e sperduta, e sembrava implorarmi. Mi tornò in mente quella volta del supermercato e non ebbi pietà di lei. Banalizzai, dissi: ma cosa vai a pensare? Nessuno è davvero un bravo genitore, è nella natura delle cose, hai fatto del tuo meglio. Stronzate del genere. È stato il mio modo miserabile, vigliacco, per non concederle il perdono senza nemmeno assumermi la responsabilità di quella scelta.

Alessandro si sistemò gli occhiali anche se non ce n'era alcun bisogno.

– Non riesci a perdonarti un sacco di cose, vero?

– Un sacco di cose. Non riesco a perdonarmele e spesso mi ossessionano –. Tirai su col naso, accesi una sigaretta, bevvi quasi tutto il vino. – Almeno questa roba aiuta ad anestetizzare, per un po'.

Qualunque cosa avesse detto – in particolare sul fatto che bere non è mai una soluzione – sarebbe stata sbagliata. Qualunque cosa. Lui non ne disse nessuna.

La pioggia continuava a scendere, compatta e ineluttabile. Lo guardai.

– Allora vuoi sapere cosa mi è successo?

– Sí.

Glielo raccontai, cosa mi era successo. Cosa *avevo* fatto succedere. Dal principio.

Fino alla fine.

Cinque anni prima

L'ideale sarebbe stato partire con delle intercettazioni telefoniche e ambientali, seguite qualche giorno dopo da una serie di perquisizioni. Purtroppo, non era possibile. Avevo solo un fascicolo modello 45, nel cui ambito queste attività non sono consentite. E non potevo trasformarlo in un fascicolo di indagine propriamente detto: tutto quello che avevamo fino a quel momento – l'identificazione di Ferrari e le sue dichiarazioni – era stato acquisito in via informale prima e confidenziale poi. Di fatto non c'era nulla di rilevante dal punto di vista probatorio e, per procedere a intercettazioni e perquisizioni, a tacere di ogni altra questione tecnica, ci vogliono gravi indizi di reato.

Una cosa possibile era identificare il factotum di Leonardi e fare un tentativo con lui. Per procedere dissi a quelli della Digos che predisponessero un'annotazione in cui mi riferivano di avere appreso le cose che ci aveva riferito Ferrari da fonte confidenziale. Cosí, per ogni evenienza, sarebbero rimaste agli atti.

Due giorni dopo Calvino venne a trovarmi in ufficio. Era in evidente difficoltà.

– Che succede? – gli domandai.

– Ieri pomeriggio sono stato convocato dal questore, che di solito non si interessa di niente. Mi ha chiesto, con tono noncurante, cosa fosse questa indagine sulla massoneria che stavamo facendo, se si trattasse di una cosa seria. Io sono stato colto di sorpresa, ho risposto che c'era un esposto anonimo, che eravamo nella fase degli accertamenti preliminari e che per il momento non ero in grado di dire se fosse o no una cosa fondata.

– Come lo sapeva?

– Non lo so, e naturalmente non ho potuto chiederglielo. Mi ha detto di tenerlo al corrente degli sviluppi.

Per la legge italiana un questore o un generale dei carabinieri o della guardia di Finanza non sono ufficiali di polizia giudiziaria. Significa che non prendono ordini dal pubblico ministero, ma nemmeno possono conoscere, salva l'esistenza di esigenze specifiche, il contenuto degli atti coperti dal segreto investigativo.

Non è una buona cosa, suona male, quando un questore chiede di essere informato su una indagine in corso, soprattutto agli inizi, se non è chiaro da quale fonte abbia saputo dell'indagine stessa.

Calvino prese un respiro.

– Ho risposto che lo avrei aggiornato su eventuali progressi e ho precisato che l'indagine era in mano alla dottoressa Spada. Ho detto che lei è un po' accentratrice e sta procedendo direttamente a vari accertamenti. Mi scusi...

– Ha fatto benissimo.

– A essere sincero, questa cosa non mi è piaciuta, – disse lui.

– Non piace neanche a me.

Riflettemmo su come comportarci e arrivammo d'accordo alla medesima conclusione. Se l'annotazione sulla pretesa fonte confidenziale fosse stata redatta, Calvino sarebbe stato costretto a informare il questore e a fargliela leggere. Un rischio che non potevamo permetterci, finché la posizione e l'interesse dello stesso questore non fossero stati chiari. Cosí decidemmo di soprassedere, per il momento. In generale decidemmo di non documentare l'ulteriore attività di indagine, a meno che gli eventi non lo avessero reso indispensabile. Avremmo proseguito navigando a vista, in modo informale, fino a quando fosse stato possibile.

Non fu quello il primo passo dello smottamento che portò al disastro, e nemmeno fu l'ultimo. Però è quello cui ho pensato piú spesso. Mi sono chiesta tante volte per quale motivo, e non ho mai trovato una risposta. Forse perché non c'è.

Capone e altri due poliziotti di assoluta fiducia (o almeno cosí speravamo) della sua squadra pedinarono per tre giorni Leonardi. Bastarono per individuare l'uomo di cui aveva parlato Ferrari.

Era un infermiere professionale di nome Caroppo, in servizio presso la clinica universitaria. Fu pedinato anche lui. Accompagnava il professore in auto, timbrava il cartellino e poco dopo se ne andava. Girava per la città, andava in banca, in uffici, incontrava gente, consegnava o ritirava plichi. Tornava a timbrare il cartellino per l'uscita e a prendere Leonardi. Spesso lo accompagnava anche la sera. Faceva tutto fuorché quello per cui percepiva uno stipendio dall'amministrazione.

Decidemmo di sentirlo sfruttando quanto era emerso – una truffa aggravata e continuata a danno di ente pubblico – come strumento di pressione per indurlo a collaborare e raccontarci i fatti di Leonardi.

Un venerdí sera di maggio i poliziotti della Digos andarono a prenderlo a casa e lo accompagnarono in procura, quando ormai non c'era piú nessuno. Lo tennero ad aspettare nella mia segreteria per oltre un'ora, senza dirgli nulla sul motivo di quell'accompagnamento e dopo avergli anche tolto il telefono cellulare.

Ricordo i corridoi deserti, la penombra, il rumore dei miei passi mentre mi dirigevo verso la mia stanza. Per l'ultima volta.

Caroppo era un tipo corpulento, con i capelli tinti, dall'aria sudata. Aveva occhi piccoli e sgomenti e le sopracciglia foltissime dei personaggi di certe comiche del cinema muto.

Cominciammo a interrogarlo dicendogli che a suo carico c'erano elementi sufficienti ad arrestarlo e farlo condannare. Avrebbe perso il posto e ora non ricordo quali altre sventure gli prospettammo. Lui ci guardava, *mi* guardava, e nei suoi occhi c'era un misto di paura e di incredulità.

– Vede, signor Caroppo, – dissi a un certo punto, – a noi non interessa procedere a suo carico per truffa o altro.

– Io non ho fatto nessuna truffa.

– Come le ho detto, non ci interessa. Ci dimenticheremo di quello che abbiamo scoperto, se ci viene incontro.

– Ma cosa volete da me?

– Vogliamo sapere dove sono custoditi gli elenchi degli iscritti alla loggia Boemia e tutti gli altri documenti riservati.

– Dottoressa, io non so di cosa sta parlando.

– Cosí non ci aiuta, e soprattutto non aiuta sé stesso. Forse non le è chiaro in che guaio rischia di trovarsi. Un guaio che può rovinarle la vita.

Andò avanti cosí forse per mezz'ora, forse per meno.

L'uomo non collaborava, ripeteva di non sapere nulla, chiese di poter chiamare un avvocato. Gli rispondemmo che per il momento non serviva un avvocato, perché non lo avevamo ancora accusato di nulla. Non stavamo scrivendo niente, era solo una conversazione preliminare. Categoria che, inutile dirlo, non esiste nella procedura penale. Stavamo solo commettendo un abuso. Anzi, per la precisione, piú abusi uno dentro l'altro.

– Mi scusi, dottoressa, non mi sento bene, per piacere, lasciatemi tornare a casa. Non so niente di documenti riservati del professor Leonardi. È vero, qualche volta lo accompagno in auto, sbrigo delle commissioni per lui, ma non so niente delle sue cose private.

– Come faccio a lasciarla andare, se lei ha un simile atteggiamento di chiusura?

Mi guardò come se non comprendesse le mie parole.

Subentrò Capone, alzando la voce.

– Ascoltami, Caroppo, tu non hai capito due cose importanti. La prima è che sei in un guaio abbastanza grosso. La seconda è che la dottoressa, qui, cerca di aiutarti a uscirne. Ma non può, se non collabori anche tu. Poi non è detto che dobbiamo scrivere tutto quello che ci riferisci, il modo di tutelarti si trova. Però devi venirci incontro.

Mentre l'ispettore parlava – gridava, quasi – io guardavo l'uomo, scrutavo la sua espressione alla ricerca di un segno di apertura, un dettaglio della mimica facciale da cui desumere che una breccia si stava aprendo. E cominciavo a perdere fiducia. La resistenza e la reticenza del tizio erano cosí ostinate da potersi spiegare solo con due ipotesi. O davvero sapeva poco o niente degli affari di Leonardi, o la sua fedeltà e la sua omertà erano molto difficili da scalfire. In entrambi i casi la nostra situazione era complicata.

Stavo pensando che sarebbe stato utile disporre delle intercettazioni d'urgenza sul telefono di Caroppo per quando, di lí a poco, fosse andato via. Avrebbe di certo chiamato Leonardi, e registrare la conversazione poteva essere molto utile. Ma il fascicolo era ancora un modello 45, e in un modello 45 non sono permesse intercettazioni di alcun tipo. Non era questione di rispetto delle regole – ne avevamo già violate parecchie – è che proprio il sistema informatico non lo consente. L'unica possibilità era tentare un pedinamento, nella speranza che, una volta fuori, si recasse dal professore o in qualsiasi altro posto che ci fornisse uno spunto investigativo.

Stavo pensando proprio questo, e forse altro, e forse Capone stava ancora parlando, stava ancora facendo il suo discorso – un vecchio pezzo di repertorio sbirresco – sulla necessità di aiutarci a vicenda. D'un tratto vidi disegnarsi sul viso dell'infermiere un'espressione del tutto incongrua. Come uno stupore improvviso; di chi abbia visto – percepito – qualcosa di totalmente, scandalosamente inatteso.

Durò pochi secondi, il tempo che anche Capone e Calvino si accorgessero che stava accadendo qualcosa. Poi l'espressione di Caroppo mutò in modo repentino. No, non è esatto: ogni espressione *scomparve* dal suo volto. Gli occhi fissarono il vuoto e la testa ondeggiò.

– Non sta bene? – chiesi, e nella mia voce sentii affiorare una nota acuta.

Lui non rispose. Il suo sguardo si era spento: gli occhi erano aperti, ma non vedevano nulla. Anche il colorito della pelle era cambiato. D'un tratto aveva assunto la faccia grigia dei tanti cadaveri che mi era capitato di vedere, soprattutto al tempo in cui lavoravo in Calabria. È morto, pensai prima di saperlo con certezza. È morto, pensai, percependo l'oscenità che la fine improvvisa di una vita produce in noi quando ci passa davvero vicino.

Capone si alzò di scatto dalla sedia e lo prese per le spalle nel momento in cui la testa gli cadeva, disarticolata, sul petto.

Cosí come sono precisi, dettagliati, in netta sequenza i ricordi fino a questo istante (ma chi può escludere che si tratti di un montaggio, di un editing della memoria che seleziona, rielabora, inventa addirittura?), cosí diventano confusi, franti, sovrapposti subito dopo. Vedo Capone che lo stende per terra e gli pratica il massaggio cardiaco; sento la mia voce sempre piú concitata con l'operatore del 118, bisogna fare in fretta, fare in fretta; vedo Calvino che apre la bocca all'uomo e gli tira fuori la lingua per evitare l'autosoffocamento; vedo Capone che estrae un coltello a serramanico e mette la lama sotto le narici, poi la osserva e scuote la testa. Se ci fosse appena un po' di vapore acqueo vorrebbe dire che l'uomo respira ancora. Ma la lama è lucida, nessun appannamento. Due minuti fa stavamo parlando e adesso quella persona non è piú una persona, è un oggetto inanimato. Ho visto tanti morti, ma è la prima volta che vedo *la* morte – il preciso momento della morte – di qualcuno.

Poi sento voci concitate dal corridoio, due infermieri entrano nella mia stanza, provano a togliere gli abiti al corpo disteso per terra, non ci riescono, allora li tagliano e applicano gli elettrodi del defibrillatore sul torace nudo. La macchina parte e certifica quello che già sapevamo: non c'è pulsazione, inutile inviare scariche elettriche.

È morto. Era morto prima che arrivassero. Era morto anche prima che partissero. È morto in pochi secondi davanti ai miei occhi. Si è spento come una candela nel buio. Quello sguardo di stupore attonito era stato l'ultimo bagliore.

Non sono capace di mettere in fila, in un decente ordine cronologico, quanto è successo nei giorni, nelle settimane che vennero dopo la morte di Caroppo. Ci sono poche cose che ricordo, altre che so essere avvenute, alle quali ho preso parte, ma di cui non ho alcuna memoria. Nulla.

Il procuratore mi disse che avevo ventotto giorni di ferie arretrate dell'anno precedente, ai quali si aggiungevano i trentaquattro dell'anno in corso. Erano piú di due mesi e li avrei presi tutti insieme, con decorrenza immediata. Non era opportuno che passassi dall'ufficio, anche perché non avrei avuto dove andare: sulla mia stanza era scattato il sequestro per svolgere i necessari accertamenti.

Fui indagata per omicidio colposo dalla procura di Brescia e sottoposta a procedimento disciplinare dal procuratore generale della Cassazione, che chiese al Consiglio Superiore della Magistratura la mia sospensione cautelare e la ottenne.

In altre circostanze mi sarei potuta difendere, in quella no.

Lo avevo fatto accompagnare in procura senza nessuna convocazione, senza una sola carta, senza un solo atto di indagine documentato che giustificasse l'audizione. Caroppo era stato prelevato a casa e trattenuto fino a tarda sera senza alcun titolo.

Quando il procuratore della Repubblica di Brescia mi convocò per interrogarmi, dissi che era tutta colpa mia, che i poliziotti avevano solo eseguito i miei ordini e non avevano preso parte attiva all'audizione. In seguito furono scagionati. Io, invece, dopo pochi mesi patteggiai, contro l'opinione del mio avvocato. Lui sosteneva che avremmo dovuto tirarla per le lunghe e vedere cosa accadeva. Ma io non volevo tirarla per le lunghe, volevo che tutto finisse, che tutto scomparisse. Tutto.

Non lo so come si sarebbe concluso il procedimento disciplinare, tuttavia era chiaro che il procuratore generale avrebbe chiesto, con ottimi argomenti, la mia rimozione, e io decisi che non volevo aspettare: la pazienza non è mai stata fra le mie qualità. Né mi interessava l'eventualità di scamparla per un pelo e non essere mai piú un pubblico ministero, accettando magari di fare il giudice dei pignoramenti in qualche piccolo tribunale sperduto. Insomma, diedi le dimissioni prima che mi cacciassero, e ancora adesso penso sia stata la cosa giusta, o la meno sbagliata.

Andarmene fece spegnere i riflettori sulla faccenda, mi permise di inabissarmi, mi garantí l'oblio che era ormai l'unica cosa che desideravo.

Non ho mai saputo se quel poveraccio li custodisse davvero i documenti di Leonardi, sempre che esistessero. Non ho mai saputo se lo feci morire senza che nemmeno ci fosse un motivo per interrogarlo.

24.

Olivia muoveva la coda con tanto vigore che pareva agitasse uno sfollagente. La accarezzai fra gli angoli della bocca e le orecchie. Poi le chiesi: – Vuoi fare un giro, collega? Ha smesso di piovere, finalmente.

Ancora non riuscivo a capacitarmi di aver raccontato – di essere *riuscita* a raccontare – la mia storia. Non era mai accaduto. Alessandro aveva ascoltato in silenzio, senza intervenire né tantomeno fare commenti. Alla fine mi aveva stretto l'avambraccio per qualche secondo, poi mi aveva chiesto se volessi essere accompagnata a casa. Avevo risposto che, considerata la piega inattesa che aveva preso la serata, sentivo il bisogno di tornare da sola. Forse il mio tono fu brusco, non so. Ma mi sentivo come se per la prima volta – dopo un numero infinito di interminabili, distruttivi soliloqui – avessi appreso da me medesima la verità su quella vicenda.

In qualche momento il senso di vertigine era insopportabile. L'unico modo per allontanarlo era tenere la mente occupata. Cercai di riepilogare quello che avevo fatto nella mia indagine e stabilire quello che avrei potuto fare ancora.

A due settimane dal primo incontro con Marina i miei progressi erano quasi inesistenti. A parte qualche dettaglio, non sapevo quasi nulla piú di ciò che mi aveva detto lei. Vittorio Leonardi forse era stato un bravo chirurgo, certamente non era stato un uomo amabile: nessuno aveva davvero espresso dispiacere per la sua scomparsa. Lisa Sereni era una bella ragazza che aveva sposato un uomo ricco e molto piú anziano di lei. Per sua stessa ammissione, se ce ne fosse stato bisogno, a spingerla verso il matrimonio non era stato l'amore. Non esisteva alcun elemento, diverso dalle congetture interessate di Marina Leonardi, per pensare che la morte del professore non fosse dovuta a cause naturali. A complicare il tutto c'era il fatto che ero diventata quasi amica dell'indagata, anzi dell'indagabile; o per essere piú precisi della destinataria dei sospetti della mia cliente. Ero pagata per trovare elementi a carico di una persona con cui avevo simpatizzato ben al di là della simulazione (di cui mi vergognavo alquanto) che avevo inscenato per conoscerla.

In realtà, la questione era molto semplice. Mi restava un accertamento da fare. Quello che avrei dovuto fare come prima cosa.

La mattina dopo avrei chiamato Roberto, il mio amico ufficiale dei servizi, e gli avrei chiesto la cortesia di controllare i tabulati dei telefoni di Lisa e di Vittorio Leonardi; ero abbastanza sicura che mi avrebbe aiutata. Se, come era altamente probabile, da un attento esame non fosse venuto fuori niente, avrei detto a Marina che mi dispiace, ci abbiamo provato, ma non è emerso nessun elemento a conferma dei suoi sospetti e delle sue congetture. È stato un piacere conoscerla – non proprio, a essere sincera – e molti cordiali saluti.

Richiamai Olivia che, considerata l'ora, avevo lasciato senza guinzaglio e me ne andai a dormire.

Al mattino mi resi conto che non avevo il numero di cellulare di Leonardi, non era fra gli appunti che mi aveva lasciato Marina. Dunque, per prima cosa, dovevo chiamare lei. Non ne avevo nessuna voglia, non mi andava di spiegarle perché mi servisse né mi andava di rispondere alle sue domande. Ma non c'era scelta.

– Buongiorno, sono Spada.

– Buongiorno, ha delle novità?

– Non ancora e non sono sicura che ce ne saranno. Ho bisogno del numero di cellulare di suo padre.

Dall'altra parte ci fu una lunga pausa perplessa.

– Il numero di mio padre?

– Sí, ce l'ha ancora, spero.

– Ce l'ho, sí. Ma a cosa le serve?

– Per un controllo. Non mi chieda dettagli perché non posso dargliene. Nei prossimi giorni, in ogni caso, la chiamo, ci vediamo e le faccio una relazione su tutto.

Dopo aver chiuso con Marina stavo per telefonare a Roberto quando mi resi conto che, dall'ultima volta, il mio numero era cambiato. Assieme a parecchie altre cose. Era altamente improbabile che mi rispondesse vedendo comparire un numero sconosciuto, perciò decisi di farmi precedere da un messaggio. Lo riscrissi quattro o cinque volte, rendendomi conto, con fastidio, che non riuscivo a trovare un tono adeguato. Simpatico e vagamente seduttivo? Formale? Pieno di inutili spiegazioni? Neutro? È interessante quante cose possa dire di te, del tuo stato mentale, della tua condizione psicologica, il banale sforzo di scrivere un messaggio di servizio che serve solo a preannunciare una telefonata.

Alla fine, quando mi stavo davvero innervosendo, optai per: «Ciao, quando hai due minuti vorrei sentirti. Non credo tu abbia questo numero, sono Penelope».

Chiamò lui, quasi subito.

– Penny, sei tu?

– Proprio io. Bello vedere che ci sono ancora uomini

gentili –. Mentre le parole mi uscivano dalle labbra mi sentii un'idiota per aver ceduto a quel rigurgito di compulsione seduttiva.

– A cosa devo l'onore?

– Avrei bisogno di parlarti. Pensi di trovare dieci minuti per un caffè e due chiacchiere?

– Quando?

– Per me anche adesso. Ma suppongo tu sia piú impegnato. Facciamo quando puoi, io mi adatto.

– Ti va di mangiare qualcosa insieme, diciamo alle tredici?

Decidemmo di vederci in un vecchio, storico ristorante milanese vicino a piazza dei Mercanti. Scelse lui il posto, io c'ero stata una sola volta, forse dieci anni prima: sembravano molti di piú.

I camerieri trattavano lui come un cliente abituale e di riguardo; me, da bravi professionisti, come se fossi sua moglie. Lo osservai mentre ordinava il vino – fummo d'accordo che bisognava bere, anche se non eravamo a cena, per festeggiare l'incontro – e mi dissi che era decisamente il tipo di uomo che migliora invecchiando. Quando ci eravamo conosciuti e frequentati era un bel giovanotto atletico e un po' cazzone. Adesso era diventato un cinquantenne brizzolato, ancora in ottima forma, brillante e con una nota profonda nello sguardo che quindici anni prima era inimmaginabile.

– Dimmi qualcosa di te. Come va?

– Un sacco di tempo libero. La vita ideale. Tu? Continui a fare carriera? Di cosa ti occupi adesso?

– Ho lavorato parecchio sul terrorismo islamico. Non era male, si viaggiava. Con la vecchiaia sono passato a cose meno eccitanti. Roba da scrivania.

– Le scrivanie sono ampiamente sottovalutate. Lasciatelo dire da una che non avrebbe mai pensato di avere nostalgia della sua.

Mi guardò per qualche istante, non sapendo come replicare. Anch'io non sapevo per quale motivo avessi pronunciato una frase del genere. Fra i miei molti difetti mi piace credere che non ci sia l'autocommiserazione. Ma forse mi sbaglio, forse sono solo capace di camuffarla molto bene.

– Mi piacevi tantissimo, lo sai, vero? – disse d'un tratto.

Pensai un attimo a come rispondere, poi decisi che la cosa migliore – quasi sempre è cosí, anche se l'ho capito in ritardo – era dire la verità.

– Sí. E io non mi sono comportata bene con te. Per quello che vale a posteriori, mi dispiace.

Si strinse nelle spalle, con un sorriso pieno di consapevolezza che mi intenerí.

– Era l'esito naturale di quella storia. Sei stata brava a evitare inutili agonie. Un po' brutale, ma brava. Un anno dopo mi sono separato lo stesso.

– E ora?

– Ho una compagna e un bambino di cinque anni. Nei limiti in cui la cosa è possibile, siamo piuttosto felici.

Si può ammirare qualcuno perché dice di essere felice? Non so. Certo è che in quel momento provai ammirazione per lui, oltre a un senso di strana armonia. Mangiammo in silenzio il salmone con le verdure che avevamo ordinato entrambi e bevemmo un ottimo sauvignon affumicato.

– Mi serve un piacere, – dissi quando il cameriere ebbe ritirato i nostri piatti.

– Se posso, volentieri.

– Puoi di sicuro. Bisogna vedere se vuoi.

– Mai stato facile trattare con te. Lo dicevano gli avvocati. Di cosa hai bisogno?

Glielo dissi, e gli dissi anche il motivo. Stavo facendo

questa indagine che non avrebbe di sicuro portato a nulla. Per mettermi l'anima in pace e per dare una risposta alla cliente mi occorreva un ultimo accertamento. Volevo i tabulati dei telefoni cellulari di Lisa Sereni e di suo marito Vittorio Leonardi nel periodo che andava da una settimana prima a una settimana dopo la morte di quest'ultimo. Per acquisire legalmente i dati del traffico telefonico di qualcuno, ci vuole un provvedimento del magistrato. Per acquisirli illegalmente – cosa che accade con una certa frequenza – basta avere un amico poco incline ai formalismi all'interno della società di telefonia. Ovviamente i tabulati acquisiti nella seconda modalità non possono essere prodotti come prove in un processo. Ma possono essere usati in molti altri modi, per obiettivi leciti e illeciti.

– Mi chiedi di violare la legge, – commentò Roberto con un'ombra di sorriso ironico.

– Credo che su questo non ci siano dubbi.

– Come avrebbe detto un mio vecchio zio: a me cosa ne viene?

– Nulla, temo. A parte la mia gratitudine; una ricompensa dal valore discutibile, devo ammetterlo.

Si passò la mano sul mento, come a lisciare una barba che non aveva.

– Mi dirai se scopri qualcosa, almeno?

– Questo mi sembra giusto. Te lo dirò.

– Prima che ad altri?

– Prima che ad altri. Nell'ipotesi remota che saltasse fuori materiale interessante ne discuterò con te prima di raccontare il tutto alla polizia. O ai carabinieri, vedremo.

– Potresti lasciare che sia io a parlarne con loro. Lo sai che nel mio lavoro viviamo anche di questi scambi di cortesie.

– Nella suddetta ipotesi remota, ci penserò. Dipende da troppi fattori, non ti assicuro niente.

Sospirò in maniera ostentata. Cedeva alla violenza, o qualcosa di simile.

– Va bene, tanto con te è sempre stato inutile insistere.

– Grazie. I due numeri sono questi, – dissi passandogli un foglietto che avevo già predisposto. – Come ti accennavo, mi servono i dati del traffico a partire da una settimana prima della morte di Leonardi – la data è annotata – fino a una settimana dopo. Mi serve anche l'intestazione delle utenze che compaiono almeno due volte, sia le chiamate in entrata sia quelle in uscita. Se dovessero servirmene altre te lo dirò dopo avere esaminato i tabulati. E ovviamente ho bisogno di sapere se i due soggetti fossero titolari di altre utenze mobili.

– Posso pure lavarti i vetri dell'auto, se desideri.

– No, grazie. Voi dei servizi preferisco che non vi avviciniate alla mia auto – ne possedessi una – o alla mia casa. Non si sa mai cosa ci potreste piazzare.

Il giorno successivo ricevetti quanto avevo richiesto in formato elettronico, su un'anonima chiavetta Usb. Roberto mi disse che sia Leonardi sia la moglie avevano un secondo numero che però usavano pochissimo. Nel periodo che gli avevo indicato non risultava nemmeno una telefonata né sull'una né sull'altra utenza.

Siccome mi sono sempre ispirata alla regola «fidati di tutti, ma taglia il mazzo di carte» decisi che era meglio non aprire i file sul mio computer personale. Giusto nel caso contenessero (improbabile, Roberto era una persona per bene, ma non si sa mai) uno spyware che avrebbe reso il mio portatile un luogo pubblico. Non che abbia molto da nascondere, ormai, però mi piace pensare che ci sia qualche segreto cui gli altri non possono accedere.

Andai in un Internet point a una mezz'ora da casa, chiesi una postazione al ragazzo pakistano che gestiva il posto, mi sedetti e cominciai a lavorare.

Nella chiavetta c'erano quattro file separati: tabulati di Leonardi; generalità dei soggetti le cui utenze erano entrate in contatto con lui almeno due volte nel periodo di riferimento; tabulati di Lisa Sereni; generalità dei soggetti le cui utenze erano entrate in contatto con lei almeno due volte nel periodo di riferimento.

Per prima cosa verificai i nomi dei soggetti con piú chiamate. Non mi dicevano niente e in ogni caso non c'erano cluster vistosi, nulla che attirasse l'attenzione. Poi esaminai, sui tabulati dell'uno e dell'altra, l'ultimo giorno di vita di Vittorio Leonardi. Su quelli di Lisa non c'erano molte chiamate la sera precedente alla scoperta del cadavere. Anzi, erano decisamente poche; cosí poche da farmi venire il sospetto che potesse avere un altro numero intestato a qualcun altro. Mi ripromisi di verificare e passai ai tabulati del marito, che invece erano affollatissimi. Numerose chiamate, perlopiú brevi o molto brevi. L'ultima era verso un cellulare il cui intestatario non era identificato (dunque compariva solo in quell'occasione), alle 20.51. Ricopiai il numero sul mio bloc-notes e mi dissi che avrei dovuto chiedere a Roberto l'identificazione del titolare: probabilmente l'ultima persona ad aver parlato con Leonardi. Quindi tornai a Lisa per controllare se, per caso, quella sera ci fosse una telefonata, un contatto, con l'ultimo numero sentito da Leonardi. Non c'era e rimasi un po' delusa, anche se, da un punto di vista investigativo, sarebbe stato troppo bello per essere vero.

Stavo per cominciare l'esame a ritroso dei tabulati quando pensai che fosse piú pratico dare un'occhiata anche ai giorni successivi alla morte. Per quanto riguardava il numero di Lisa, visto che il telefono di Leonardi, dopo la chiamata delle 20.51, aveva cessato per sempre di comunicare con chicchessia.

Ho il ricordo distinto di avere bevuto un sorso d'acqua dalla mia bottiglietta, di aver guardato l'orologio pensando a quanto tempo ancora sarei dovuta rimanere lí, di aver represso l'impulso a fare una pausa per andare a fumare una sigaretta, di aver ricominciato a esaminare il file e, dopo un minuto o forse meno, di essermi sentita gelare il sangue.

L'ultimo numero – l'ultima persona – con cui Leonardi aveva parlato al telefono nella sua vita era anche il primo con cui la mattina seguente aveva parlato sua moglie Lisa.

25.

Funziona cosí, nelle indagini. Parli con tante persone, fai tante domande, le informazioni, spesso inutili, si accatastano le une sulle altre. Passano i giorni e quello che vieni a sapere non serve a nulla, non ti porta – sembra – da nessuna parte. Una dote del buon investigatore consiste nel perseverare, non dando ascolto alla voce interna che dice: «È tutto inutile, lascia perdere». Bisogna continuare fino a quando – per caso, fortuna, bravura, cocciutaggine – qualcosa si accorda inopinatamente con qualcos'altro. Fino a quando tutto il materiale volatile che hai raccolto si condensa in un nucleo che puoi vedere e provare a capire.

Il numero era memorizzato, schiacciai il tasto e attesi. Rispose dopo quattro squilli e la voce mi parve stanca.

– Buongiorno dottore, sono Spada. Mi scusi se la chiamo senza preavviso, ma ho una certa urgenza di parlarle.

– Di che si tratta?

– Se non le dispiace, vorrei incontrarla. Ho bisogno di sottoporle dei documenti.

Non rispose. Lo sentii respirare faticosamente.

– Posso raggiungerla nel suo studio, anche subito, – aggiunsi.

Non so perché, ma mi prese un senso di urgenza. Come se il tempo a disposizione, d'un tratto, fosse poco, pochissimo e stesse per scadere.

– Dottore?

– Va bene, venga.

Infilai nello zainetto i miei fogli stampati, qualche appunto, chissà perché anche un paio di penne, uscii salutando Olivia, molto delusa, e presi un taxi.

Dieci minuti dopo ero davanti allo studio di Loporto. Come mi ero ripromessa, controllai gli orari e i giorni delle visite indicati su una targa affissa alla porta. Poi misi in funzione il registratore del telefono, presi un respiro e suonai il campanello. Venne ad aprire dopo una manciata di secondi, mi salutò con un cenno del capo e mi precedette in una stanza diversa dall'altra volta, un secondo ambulatorio, con mobili piú antiquati, semivuoti, scaffali con vecchi libri di medicina. La tapparella era abbassata e il tutto comunicava un'idea di triste smobilitazione; nell'aria c'era odore di stantio.

– Cosa deve sottopormi? – disse rimanendo in piedi.

– Le dispiace se mi siedo?

– Prego, – e si sedette anche lui, alla scrivania.

– Prima di mostrarle i documenti, – ripresi, – vorrei chiederle ancora qualche informazione, qualche chiarimento.

– Che vuole sapere?

– La volta scorsa abbiamo parlato di quando la signora Elena le ha telefonato, subito dopo aver trovato il cadavere di Leonardi. Lei mi ha specificato di non aver risposto perché era qui in studio a visitare. È corretto?

– Sí.

– Ricorda chi stava visitando?

Fece un gesto di impazienza, irritato, quasi rabbioso.

– Ma che razza di domanda è? I pazienti vengono quasi sempre senza appuntamento e senza preavviso, e io li ricevo. Ne visito tanti. Non ho la piú pallida idea di chi ci fosse quella mattina.

– Capisco. I pazienti vengono in ambulatorio nei giorni e negli orari di visita e lei li riceve. Cosí è accaduto quella mattina. È corretto?

– Non capisco dove vuole arrivare.

– Solo dettagli da chiarire. È corretto quello che ho detto?

– Sí.

– Quando ha modificato l'orario di ricevimento dei suoi pazienti? Quello sulla porta del suo studio.

– Ma di che parla? L'orario è lo stesso da sempre.

– Bene, grazie. Un altro dettaglio. Mi ha detto di avere incontrato per l'ultima volta il professor Leonardi circa un mese prima della sua morte.

– Non so se fosse proprio un mese, come faccio a ricordarmi certe cose?

– Va bene, non è importante la precisione cronologica. Lo ha incontrato per caso in strada qualche settimana prima della sua morte ma non è in grado di dire con esattezza quando. Giusto?

Sospirò ostentatamente, in segno di esasperazione.

– Sí.

– Ed è stata l'ultima volta che ha parlato con lui?

– Sí.

– Dopo quell'incontro non le è piú capitato di parlare con lui, anche solo al telefono?

– No.

– Sa per quale motivo le ho fatto queste domande?

– Me lo dica lei.

– Primo, perché quella mattina, quando la chiamò Elena, era giovedí. E lei il giovedí ha ambulatorio di pomeriggio. Poi perché dai tabulati del telefono cellulare di Vittorio Leonardi risulta una conversazione di circa un minuto, con lei, alle ore 20.51 della sera precedente il rinvenimento del cadavere. L'ultima telefonata di quell'utenza, l'ultima volta che Leonardi ha parlato con qualcuno al telefono.

Fece una strana smorfia col naso, come di chi senta un cattivo odore.

– Lei non è un'investigatrice privata. Ho controllato, non possiede una licenza, non ha titolo per fare quello che sta facendo. Potrei denunciarla.

– Vedrà lei. Rimane l'interrogativo: cosa vi siete detti in quella telefonata e, soprattutto, per quale motivo non ha riferito a nessuno – non a me, non alla figlia – che aveva parlato con il professore poco prima della sua morte.

Di nuovo quella smorfia. Scosse il capo guardando verso il basso, con tanta intensità che per un attimo pensai ci fosse qualcosa in terra. Rimasi in attesa, vincendo l'impulso di dire qualcosa per indurlo a parlare. Trascorse un minuto, forse di piú, il silenzio era diventato cosí denso che quando sentii di nuovo la voce ebbi un lieve sussulto. Prese a parlare come ricominciando un discorso interrotto.

– Ha avuto un malore e mi ha chiamato, chiedendomi di passare da lui.

– Perché ha chiamato lei e non il pronto soccorso?

Sogghignò in un modo che mi fece impressione.

– Il professor Leonardi non era tipo da chiamare il pronto soccorso come i comuni mortali. Aveva avuto uno sbalzo di pressione, in sé nulla di troppo allarmante. Non voleva fare brutte figure disturbando qualche collega dell'università, ma al tempo stesso preferiva non correre rischi. Cosí ha telefonato a qualcuno che considerava una specie di maggiordomo, accidentalmente munito di competenze mediche.

– Il vecchio compagno di scuola.

– Tutte le medie, tutto il liceo e tutta l'università. Sempre vicini, anche nell'appello: Leonardi, Loporto, Moretti eccetera. Eravamo inseparabili, se qualcuno mi incontrava da solo, mi chiedeva: dov'è Vittorio? La stessa cosa succedeva a lui, a parti invertite. Fino a quando è durata.

– E fino a quando è durata?

– Difficile stabilirlo con sicurezza, ora. Dall'esterno uno direbbe fino alla fine. Ma le cose non stanno cosí. Ora, guardando indietro, non so piú nemmeno se lui sia mai stato davvero mio amico, se gli sia mai davvero importato di me. Comunque sia, i nostri rapporti, cosí come erano stati per tanti anni, cambiarono con l'ingresso alla scuola di specializzazione. Ci eravamo laureati entrambi con centodieci e lode e l'invito a proseguire gli studi. Lui fu preso a chirurgia, io a medicina interna. Lui cominciò la sua scalata accademica – suo padre era un vecchio barone potentissimo –, io la mia strada mediocre da medico ordinario. Forse le gerarchie fra noi erano chiare anche prima – mio padre era un impiegato di banca –, solo che io non me n'ero accorto. Di sicuro da quel momento le nostre traiettorie si separarono: velocissime.

– Ma avete continuato a frequentarvi, no?

– Era una specie di recita, una pantomima dell'amicizia. Ogni volta l'occasione per chiarire, implicitamente, quale fosse il posto nel mondo dell'uno e dell'altro. Lui era l'amico importante, sempre di piú, io quello che, al massimo, poteva essergli grato dell'ammissione privilegiata alla sua corte personale.

La voce di Loporto era diventata piú ferma, meno faticosa. Lo sguardo nitido. Si stava sbarazzando di qualcosa che l'aveva ossessionato per tutta la vita.

– All'università io prendevo appunti, preparavo schemi per gli esami e lui li usava. Non mi ha mai ringraziato, dava per scontato che gli fossero dovuti. Dava per scontato che gli fosse dovuta ogni cosa. Forse il rancore è cominciato allora, forse dopo. Non lo so. Quando me ne sono accorto era ormai una massa gigantesca, come un tumore inoperabile.

Ho ascoltato molte confessioni. Alcune sono banali, piatte e terribili; altre sono enfatiche, indulgenti, volte all'autoassoluzione; altre ancora rigurgitano di un insopportabile, falso pentimento. In tutti questi casi, anche se i fatti raccontati sono realmente accaduti, quello che manca è la verità. Nella storia di Loporto, invece, si sentiva il respiro profondo e roco della tragedia. Era una resa dei conti con l'esistenza: la verità illuminata da bagliori lividi, spietati.

– Lei, – riprese, – potrebbe pensare che io proietti su Vittorio Leonardi le colpe del mio fallimento personale. Avrebbe ragione. È cosí. Ma resta il fatto che lui era un miserabile. Tante volte ho immaginato che, se avessi avuto l'opportunità di ucciderlo senza correre alcun rischio, lo avrei fatto. Ma erano fantasie. A tutti succede di avere pensieri tremendi, anche se molti non hanno il coraggio di ammetterlo. A lei è mai capitato? Non dico di pensare di uccidere qualcuno, ma almeno di desiderarne la morte?

– Mi è capitato, sí.

– Allora può capirmi. Non ricordo chi ha detto che il caso ci dà quasi sempre ciò che non ci saremmo mai sognati di chiedere. Quella sera è andata proprio cosí. Sa quando ho desiderato per la prima volta, distintamente, che morisse?

– Quando?

– Un paio di anni prima, piú o meno, gli avevo chiesto di operare un'amica cara di mia moglie. Non sembrava una cosa troppo grave e lui mi aveva detto di non preoccuparmi, che se ne sarebbe occupato. Fu ricoverata nel suo reparto, fu operata e quando lo chiamai lui mi disse che era tutto a posto. Invece non era tutto a posto. Nel giro di una settimana quella donna ebbe un peggioramento, ci fu un'infezione, gli antibiotici non funzionarono. Insomma, morí una decina di giorni dopo l'intervento. Mia moglie era distrutta. Andai da lui in clinica, per chiedergli come fosse potuto accadere. Aveva fretta; gli dispiaceva ma non aveva effettuato lui l'intervento e purtroppo era andato male. Mi aveva garantito che se ne sarebbe occupato di persona, replicai stupefatto. Era sorto un impegno all'ultimo momento e aveva dovuto incaricare un suo assistente, sono cose che succedono, ero un medico anch'io, non dovevo fare tutti quei piagnistei. Cosí. Piagnistei, disse. Rimasi senza parole e me ne andai, pieno di rabbia e di vergogna perché avrei dovuto trovare il coraggio di spaccargli la faccia. Avrei dovuto trovare quel coraggio tante volte, prima.

Rimase in silenzio per un po'. Adesso aveva un'espressione stranamente serena.

– Non è che per caso lei fuma? – disse d'un tratto, con una voce quasi giovane.

– Sí, – risposi stupita.

– Sono trent'anni che non tocco una sigaretta. Ne ho voglia come se avessi smesso ieri.

Tirai fuori il pacchetto e glielo offrii. Ne prese una, la tenne fra pollice e indice, la portò all'altezza degli occhi e la osservò quasi fosse un oggetto di foggia inconsueta, poi la mise studiatamente fra le labbra e io lo feci accendere; ne accesi una anch'io. Diede tre o quattro boccate, con gli occhi socchiusi.

– Oggi riprendo a fumare. Avrei già dovuto farlo –. E, dopo un'altra breve pausa: – Ho il cancro. Non mi resta molto, perché non dovrei fumare? Sa quando ho scoperto di essere malato? La settimana precedente... insomma, precedente il fatto, la morte di Vittorio. Fra le tante sensazioni che provavo in quei giorni c'era un viluppo insopportabile di rabbia e di ingiustizia perché con ogni probabilità sarei morto prima di lui. Forse è stata proprio questa la spinta finale.

– Vuole raccontarmi?

– Quando arrivai a casa gli misurai la pressione: era alta, la massima era vicina ai 180 e c'era qualche sintomo iniziale di angina. Gli dissi che gli avrei fatto una fiala di Adalat, è un calcio antagonista che si usa contro l'ipertensione e contro l'angina, appunto. In quel momento non avevo ancora deciso nulla. Poi andai in cucina e, senza pensarci e senza esitazione, riempii la siringa con una fiala di adrenalina. Tornai nella stanza da letto e gliela iniettai. Conosce gli effetti dell'adrenalina?

Annuii.

– Ha intensificato l'attacco ipertensivo.

– Esatto. Di sicuro è morto in non piú di due minuti. Ma io ero già andato via. Ho preso fiala, siringa, incarti e sono andato via.

Avevo appena finito la mia sigaretta, me ne accesi subito un'altra. Ne offrii anche a lui, declinò cortesemente.

– Ha registrato tutto, vero?

Pensai di negare, non lo feci.

– Sí, sto registrando.

– Ne ero certo. E adesso?

– Non lo so.

– Stando alla diagnosi di due anni fa dovrei essere già morto. Ho resistito un po' di piú del previsto, ma credo che ci stiamo avvicinando alla fine. Forse non è indispensabile denunciarmi, comunque non andrò in carcere e ne soffrirebbe solo la mia famiglia.

– Forse, però, non sono io a dover decidere, – dissi alzandomi.

All'improvviso non volevo sapere piú niente. All'improvviso volevo solo uscire di lí.

26.

Cosa vogliono le vittime dei reati? Le persone ingiuriate dal crimine, quelle che hanno perso i propri cari o la propria dignità?

La punizione dei colpevoli? Certo, anche questo. Ma la punizione – la vendetta piú o meno regolata dalle leggi – è in gran parte un'illusione ottica.

Ciò che le vittime vogliono davvero è la verità. L'unica cosa che nel lungo periodo è capace di guarire le ferite, di placare il dolore.

E cosa vogliono i veri sbirri (parola che per taluni è un'offesa e per altri, gente come me, un complimento)?

Anche loro vogliono la verità. I veri sbirri (siano poliziotti, carabinieri o, talvolta, magistrati) vogliono che sia ripristinato, seppur provvisoriamente, l'ordine infranto dal crimine. E l'unico modo per ottenere questo risultato è ricostruire con fatica un po' di verità attraverso le indagini e i processi penali. Sono strumenti imperfetti, ma segnano il confine fra la giustizia e la vendetta privata.

Ora che sapevo com'era andata, mi chiedevo cosa fosse giusto fare.

Non lasci andare un assassino, se lo hai scoperto. Non li prenderai tutti, molti ti sfuggiranno, ma quelli che scopri non devi lasciarli andare. Non spetta a te decidere. Le regole sono la salvezza dall'arbitrio, un parziale rimedio alla nostra imperfezione morale.

Cercai di mettere in ordine i pensieri, cominciando dal dilemma meno complicato. Avevo promesso a Roberto che gli avrei riferito l'esito dell'indagine, se un esito ci fosse stato. Potevo mantenere quella promessa; lo chiamai, gli chiesi di vederci e gli raccontai tutto. Era un uomo abituato a frequentare la zona oscura dell'umanità e dei suoi comportamenti, eppure nulla ti prepara a certe rivelazioni.

– Mi stai dicendo che lo ha ammazzato con un'iniezione di adrenalina?

– Sí.

– Cioè, Leonardi lo ha chiamato perché aveva la pressione alta e lui ha colto l'occasione per assassinarlo?

– Sí.

Sospirò, scuotendo il capo.

– A volte ho pensato che la psicologia degli jihadisti fosse difficile da penetrare. Ma al confronto era roba da niente. Perché si arriva a fare una cosa del genere, a sangue freddo? – Non era una frase detta tanto per dire, sembrava davvero turbato.

– Il rancore è sottovalutato.

– Già. Posso avere copia della registrazione?

– No. Ma fai quello che vuoi delle informazioni che ti ho dato. Passale pure alla polizia o ai carabinieri, e nella nota riservata puoi scrivere che io ho raccolto informalmente la confessione di Loporto. Dovessero chiamarmi per confermarlo, lo confermerò. E, nel caso me la chiedessero, consegnerò la registrazione a loro. Ma non credo ce ne sarà bisogno. Se lo interrogano, confessa.

Prese qualche appunto sul telefono, poi venne il momento di salutarci.

– Non è che hai cambiato idea sulla possibilità di lavorare con noi? Un bel contratto riservato di consulenza e tutta la libertà che vuoi. Sarebbe un nuovo inizio.

– La riposta è la stessa dell'altra volta. Non è per me. Però grazie, apprezzo sul serio.

Il secondo dilemma non era altrettanto semplice. Cosa dire, e come dirlo, a Marina.

Anche in questo caso la verità, cruda, mi parve la soluzione migliore.

Ci incontrammo, come le altre volte, al bar di Diego. Le feci una relazione completa, che lei ascoltò in silenzio per tutto il tempo. Pallida, sempre piú pallida. Omisi soltanto il particolare della registrazione. Non volevo che me la chiedesse perché non volevo dargliela, non volevo dargliela perché non volevo che la sentisse e non volevo che la sentisse perché non era giusto.

Quale che fosse stato il rapporto di Marina con il padre, non era giusto che ascoltasse il racconto della sua morte dalla voce paurosamente asettica dell'assassino.

– Verrà arrestato? – domandò alla fine.

– Non lo so. È malato, credo gli resti poco da vivere. E comunque spetta a lei decidere se informare la procura di ciò che le ho raccontato –. Evitai di precisare che, con ogni probabilità, lo avrebbe fatto Roberto attraverso i suoi canali.

– Cosa mi consiglia?

– Parli con il suo avvocato, decidete insieme. Per quanto mi riguarda, se verrò chiamata a deporre, racconterò tutto quello che mi ha detto Loporto.

Per almeno tre volte parve sul punto di aggiungere qualcosa, ma non lo fece. Tirò su col naso, mentre gli occhi le diventavano lucidi. Poi scosse la testa con violenza, come per scacciare la sofferenza.

– Quanto le devo per saldare le sue competenze?

– Quello che mi ha già dato è sufficiente.

– Strano. È come se avessi saputo soltanto ora che mio padre è morto. Mi sono venuti fuori dei ricordi di bambina. Cose che erano seppellite chissà dove. Molto strano.

Aveva un'espressione assorta. Due lacrime rigavano le sue guance.

Il terzo dilemma era il piú difficile. Dovevo cercare Lisa e raccontarle tutto? Incluso il fatto che le avevo mentito e avevo simulato per indagare su di lei?

Dovevo parlarle? O forse potevo scriverle? O la cosa piú giusta era scomparire e lasciare che scoprisse qual era stato il destino di suo marito quando la vicenda fosse venuta fuori? *Se* fosse venuta fuori. In fondo non sapevo nemmeno se la notizia di reato sarebbe arrivata in procura con Loporto ancora in vita. A meno che, naturalmente, non mi avesse mentito sulla malattia. Un'ipotesi da considerare sempre – che ti abbiano mentito – anche quando non sembra proprio.

Divagavo. Lo facciamo sempre quando il tema centrale ci risulta penoso.

Se le avessi parlato, o anche solo se le avessi scritto, mi sarei dovuta giustificare: l'avevo avvicinata, avevo fatto quasi amicizia con lei, ero stata nel suo appartamento. Con l'inganno e allo scopo – il cui raggiungimento consideravo molto improbabile, ma questo era irrilevante – di trovare indizi o almeno argomenti d'accusa nei suoi confronti. Ero *penetrata* in casa sua perché indagavo su di lei per omicidio e, incidentalmente, davo la caccia alle mie ossessioni. Avevo fatto il lavoro della spia. Immaginai Lisa che me lo contestava, furibonda o, peggio, delusa e amareggiata. Immaginai il mio tentativo di spiegarle; un tentativo inutile: ci sono situazioni in cui bisogna rinunciare a spiegarsi, perché l'altro – o l'altra – ha diritto a tenersi la sua rabbia, il suo rancore, anche il suo odio. Lo sapevo bene da tempo. Com'era quella frase? La verità fa male solo quando si mente. Forse un po' troppo categorica, però adatta al mio caso.

Piú ci pensavo piú l'idea di quel colloquio mi pareva insostenibile, e anche scorretta da un punto di vista etico. Mi sentivo d'un tratto prosciugata di ogni energia, mortalmente stanca.

Mentre pensavo tutte queste cose, e altre, il telefono squillò. Jung avrebbe amato questa coincidenza: era lei, proprio in quel momento. Avevamo deciso che saremmo andare a mangiare il sushi. Sarebbe stato bello. Quella ragazza aveva una sincerità e una leggerezza che mi avevano fatto sentire bene come non mi capitava da tanto tempo con un'amica, con una donna.

Sí, sarebbe stato bello, mi dissi con un sussulto di tristezza mentre lasciavo che il telefono continuasse a squillare.

27.

A volte vado nelle chiese. Scelgo quelle vuote, senza attrattive turistiche o artistiche, senza funzioni in corso. Non entro per pregare, o almeno non mi sembra. Mi siedo a metà della navata centrale e sto lí, come sospesa. La cosa singolare è che nei momenti di perfetta solitudine, quando per dieci minuti o anche piú non vedo nessuno – nessun prete, nessun sacrestano, nessun fedele –, mi sento meno sola.

Altre volte, se vengo presa dallo stesso bisogno (però non saprei dire con precisione *quale* bisogno) e ho piú tempo, vado al parco del Ticino: certe mattine d'inverno si può camminare per ore prima di incontrare qualcuno. Sembra lo scenario di un sogno, fatto di brughiere e di nebbia; di scarpate e di rovine misteriose; di sentieri interminabili e di viottoli labirintici; di boschi di pioppi, querce, robinie e olmi. Mi piace molto, e piace molto anche a Olivia.

– Andiamo al parco, collega? – Lei balzò in piedi e prese a scodinzolare freneticamente. È sempre felice di uscire per una passeggiata, di andare ai giardini, ma sa benissimo che il parco è una cosa speciale.

Durante il tragitto in auto pensai che forse avrei letto il romanzo dello scrittore di strada. O forse no. Le sue parole mi avevano colpito, e mi aveva colpito la sua dedica: l'importante non è dove prendi le cose, è dove le porti. Vero, verissimo. Magari il libro non era altrettanto bello e leggerlo mi avrebbe guastato il ricordo. Non sapevo quello che avrei fatto, ci avrei pensato, mi dissi concentrandomi sulla strada dove ogni tanto compariva un piccolo banco di nebbia.

Parcheggiai vicino a un caseggiato. Non c'era anima viva. Nemmeno dietro le finestre si intuiva la presenza umana, l'unico segno era un sottile filo di fumo che saliva nel cielo grigio da uno dei camini.

Olivia fremeva per scendere, ma non si mosse fino a quando non ricevette l'autorizzazione. A quel punto saltò giú dalla macchina con un gesto atletico perfetto, che sembrava appartenere al mondo del cinema di animazione tanto era privo di sforzo, quasi immateriale, e si mise a correre impazzita di gioia. Si allontanò di una cinquantina di metri, poi tornò verso di me abbaiando sobriamente; mi sollecitava a muovermi: c'erano tante cose da fare e lei voleva farle subito.

Allungai il passo e in breve fui nel mezzo dei sentieri, fra gli alberi. Lei annusava ovunque, frenetica. La felicità dei cani, pare, è soprattutto nel conoscere il mondo tramite gli odori. La gioia che noi proviamo nel contemplare un paesaggio meraviglioso, un tramonto, un'opera d'arte, oppure nell'ascoltare una musica che amiamo, i cani la provano attraverso il canale dell'olfatto: se un cane potesse enunciare la sua idea di bellezza lo farebbe riferendosi a quello che passa attraverso il suo naso. Per questo non bisognerebbe tirar via un cane quando per strada si ferma ad annusare qualcosa; qualsiasi cosa. È una violenza, come bendare una persona e impedirle di guardare il mondo che ha attorno.

Olivia, dunque, annusava e correva, e io la seguivo a distanza con le mani nelle tasche del giubbotto, godendomi l'aria pungente sul viso, lasciando andare i pensieri.

Era finita da meno di un giorno. Eppure i fatti apparivano lontani, collocati in un passato remoto, nebuloso. Mai come in quel momento avevo sperimentato in maniera cosí forte la paradossale indecifrabilità del tempo. Ero sicura che quel fenomeno, quella distorsione, avesse un significato, ma non riuscivo a coglierlo. Questa incapacità non mi produceva frustrazione, al contrario: quasi un senso febbricitante di attesa, il principio di un'intuizione. Dipendeva da ciò che era successo? Dipendeva dal luogo maestosamente deserto, quasi arcano, in cui mi stavo muovendo? Forse.

Senza accorgermene passai dal ricordo distante di quei fatti recentissimi ad altri pensieri.

Una volta sono capitata sul Ted Talk di una scienziata canadese, Suzanne Simard, che ha dedicato la propria vita allo studio delle foreste; si intitola *Come gli alberi parlano tra di loro*. Simard mi ha fatto subito simpatia, e credo sia stato anche per questo che ho guardato la conferenza fino alla fine. È una signora bionda sulla cinquantina, di una trascuratezza elegante, occhiali senza montatura, la faccia da prima della classe che ai tempi della scuola passava il compito ai compagni. Prima della classe senza badarci.

Di solito, quando camminiamo per i sentieri di un bosco, i nostri sguardi sono rivolti verso l'alto, alle chiome degli alberi; oppure in avanti, verso i tronchi, i rami caduti, le tracce di animali selvatici, per chi è capace di riconoscerle. Simard, invece, si è interessata a quello che succede nel sottosuolo delle foreste. Sotto le distese di alberi si estende una rete sterminata di radici e funghi. Queste ramificazioni collegano alberi anche lontani tra loro; funghi e alberi creano un'alleanza sotterranea che permette loro di comunicare e collaborare. Attraverso segnali trasmessi dai funghi, gli alberi possono avvertire i propri vicini in caso di minaccia (per esempio nel caso dell'arrivo di un parassita cui occorre reagire con la produzione di sostanze chimiche) e passare sostanze nutrienti ai piú giovani, fragili o meno esposti al sole. Sono scambi che non avvengono solo tra esemplari della stessa specie, ma anche tra specie diverse e perciò, tradizionalmente, considerate rivali.

Perché i funghi trasportino sostanze nutritive tra radici di alberi diversi che collaborano tra di loro, rimane un mistero. Non solo per me, anche per gli scienziati. Sta di fatto che una foresta ha un'organizzazione molto piú complessa di quanto avrei mai immaginato. Alberi, muschi, funghi e batteri sono interdipendenti e formano strutture che sono assai piú della somma delle loro componenti. Per questa ragione alcuni scienziati chiamano le foreste «superorganismi».

Questa consapevolezza, *sapere* queste cose, può produrre sensazioni opposte, credo, mentre cammini in un bosco. Tanto brulicare di vita e di intelligenza aliena sotto i nostri piedi può generare ansia. O può dare una lieve euforia, una percezione di totalità, di essere parte. Il senso quieto e imprevedibile di esistere che avvertivo io quella mattina.

Olivia si lanciava a precipizio sugli argini del fiume, arrivando a lambire l'acqua gelida, per poi risalire, affondando le sue zampe potentissime nel terreno sabbioso delle scarpate. Tornata sul sentiero correva davanti a me, poi tornava ancora indietro, poi ripartiva di nuovo.

Dopo un paio d'ore le dissi che era ora di rientrare a casa. Non fece storie, era esausta; in macchina si addormentò subito.

Avevo appena messo in moto quando il telefono vibrò per informarmi che era arrivato un messaggio. Era Alessandro, mi chiedeva se fosse tutto a posto e se, per caso, mi andasse di cenare insieme. Se volevo, anche a casa sua.

Rimasi a guardare il telefono a lungo, pensando che avrei accettato l'invito, che avremmo cenato insieme e bevuto del buon vino e che a un certo punto lo avrei guardato negli occhi e lui sarebbe stato in imbarazzo, non sapendo cosa fare. Ma io lo avrei saputo benissimo, cosa fare. Mi venne da ridere, come a una ragazzina scema alle sue prime esperienze. E mi parve bellissimo che mi venisse da ridere. Mi parve bellissimo essere una ragazzina scema. Mi parve di aver fatto un tuffo acrobatico nel tempo, fino al tempo in cui ero (*credevo* di essere? ma c'è davvero differenza?) libera e invincibile, con le mie parti molteplici, le mie dissonanze, i miei materiali disarmonici in equilibrio fra loro.

In precario e perfetto e luccicante equilibrio fra loro.

*Questo libro è stampato su carta contenente fibre certificate FSC®
e con fibre provenienti da altre fonti controllate.*

*Stampato per conto della Casa editrice Einaudi
presso ELCOGRAF S.p.A. - Stabilimento di Cles (Tn)
nel mese di marzo 2022*

C.L. 25241

Edizione						Anno			
1	2	3	4	5	6	2022	2023	2024	2025